BIYORI

さくら日和

さくらももこ

集英社文庫

もくじ

本文デザイン　祖父江　慎＋吉岡　秀典（コズフィッシュ）

さくら日和

お兄ちゃんのスカウト

私が離婚をするために家を脱出《だっしゅつ》する際に、大いに協力してくれた一家がある。それは親友の賀来千香子《かくちかこ》さんの一家だ。

千香ちゃんをはじめ宅麻伸《たくましん》さん、千香ちゃんのお父さんお母さんもみんな応援して下さり、ずっと支えてくれていた。その中で、実務的な事を一番手伝ってくれたのは千香ちゃんのお兄ちゃんだった。

お兄ちゃんはセゾングループに勤務しており、以前はセゾンの社長秘書《ひしょ》を担当していたという。千香ちゃんは「さくらさん、うちのお兄ちゃん、けっこう使えるから何でも頼んでいいよ」と言ってくれたので私は脱出後のマンション探しから引っ越しの手配まで、一気にパッとできるようにお兄ちゃんに頼んだ。私にとっては大騒動だったのでお兄ちゃんの奥さんにまで協力を求め、賀来家に連絡をとってもらったりお兄ちゃんに連絡をとってもらったり、とにかく一家全員に迷惑をかけた。

賀来家の全面的な協力により、さくら家は無事脱出に成功した。さくらプロダクションのスタッフも脱出の成功に胸をなでおろし、賀来家の協力とお兄ちゃんの活躍《かつやく》に感謝した。

それから数カ月後、千香ちゃんから「お兄ちゃんがちょっと転職を考えているらしい」という話を耳にした。ハッキリしたことはわからないが、お兄ちゃんも四十歳を迎え、なんかクリエイティブなこともやってみたくなってきたという様子がうかがえるというのだ。

私の目はキラリと光った。さくらプロダクションは現在女子社員ばっかりで、全員よくがんばってはいるが、何か起こると少しうろたえる傾向がある。ここでひとつ、お兄ちゃんがうちの会社に入ってくれればずいぶん助かるというものだ。

私は千香ちゃんに「お兄ちゃんにうちの会社に来てもらいたい」と言った。するとは千香ちゃんはあの大きな目をパチクリとさせ、「ホント!?」と言ったが「いいかもね、よし、どうにかしてお兄ちゃんをさくらプロダクションに入れよう」とこの計画に賛同《さんどう》してくれた。

そのころ、妹と妹の友人が勝手に自分を転職させようとしていることも知らずにお兄ちゃんはセゾングループで働いていた。お兄ちゃんだって、何も本気で転職を考えていたわけではないだろう。ただ何となく「クリエイティブな他の仕事も面白《おもしろ》いかもなー」という程度の気持ちだったに違いない。

それがある日突然《とつぜん》、妹の千香子から「お兄ちゃん、転職しなよ」と言われたらどうか。しかも転職先は、先日大迷惑をかけられたあの千香子の友人のやっている会社だというではないか。

これにはお兄ちゃんも驚いた。千香子と同じぐらい大きな目をパチクリさせて「少し考えさせてほしい」と言ったらしい。そりゃそうであろう。長年勤めたセゾングループの安定した収入とキャリアを捨てて、不安定な人生を目《ま》のあたりにしたばかりのあの漫画家の会社に転職するなんて、妻と二人の子供を抱えたお兄ちゃんにとって、突拍子《とっぴょうし》もない話としか言いようもない。

お兄ちゃんの転職をめぐり、賀来家は大騒ぎになったようだ。お兄ちゃんも千香ちゃんも詳《くわ》しくは語らなかったが、平和な賀来家に一石《いっせき》を投《とう》じたことは間違いない。

さくら家のほうでもこの件では深刻《しんこく》な問題となっていた。あんな立派なお兄ちゃんの人生を、ももこなんかが狂わせていいのか、考え直せというのである。賀来家もさくら家も心配の中心は全部〝お兄ちゃんの人生〟に集中していた。そしてお兄ちゃんの奥さん、二人のおぼっちゃん達の人生も相次いで心配の的《まと》になっていた。

しかし、千香子とももこのお兄ちゃんの転職熱は冷めなかった。十二月も終わりに近づいたある日、「肝心《かんじん》なのはお兄ちゃんの気持ちだよ。さくらさん、年末年始のどさくさにまぎれて、一気にお兄ちゃんを口説《くど》き落とそう」と千香ちゃんは言った。私も「よし、そうしよう」と言い、お兄ちゃんを落とすための計画を企《くわだ》てた。その計画とは、年末に一度お兄ちゃんをおびき出し説得《せっとく》し、あまり考える時間を与えずに、正月早々もう一度お兄ちゃんをおびき出してゴリ押しの説得をするという単純な力技《ちからわざ》である。説得の場所は変なエスニック料理屋に決めた。そこで辛《から》い物でも食べさせ、頭がボーッとしたところで異国のムードに酔わせれば、お兄ちゃんもわけがわからず納得《なっとく》してうちの会社に来ることにするかもしれない。

妹の千香子と妹の友人がそんなことを企《たくら》んでいるとも知らず、お兄ちゃんはセゾングループで相変わらず働いていた。そろそろ今年も終わりか、寒いなァなどと思っていたかもしれない。

計画の日、予定通り千香ちゃんはまんまとお兄ちゃんをエスニック料理屋につれて来てくれた。「よし、えらいぞ千香子」と私はまるで自分が兄になったような気分で千香ちゃんがお兄ちゃんを連れてきたことを心の中で感謝し、いよいよ本番の態勢に入った。

千香ちゃんに連れて来られたお兄ちゃんは千香ちゃんと共に私の向かいの席に座った。そして「いやあどうも、お久しぶりですね。先日は、私なんかのことをさくらさんの会社にお誘《さそ》い頂きましてどうもどうも」などと笑いながら軽く流そうとしていたので私はすかさず「そのことなんですが、単刀直入《たんとうちょくにゅう》に申し上げます。うちの会社に入って下さい」と言った。

お兄ちゃんはまだ辛いエスニック料理を食べてもいないのに汗をかいた。席に着いたとたん単刀を直入されたら汗のひとつもかくというものだ。しかし、遠回しに言ったって面倒臭《めんどうくさ》いばっかりで結局同じことを言うのなら単刀直入のほうがキレが良い。だからそうした。

よし、この調子でどんどん進めてゆこうとした矢先、エスニック料理屋の、たぶんアラビア人だと思われるオヤジが注文をききにやって来た。そして千香ちゃんを見て「オオ、アナタ、知ってますよ。テレビ。みてるから。でてるでしょ。ネ、テレビ」などと言ってなかなか去らないので拍子抜けし、出端《でばな》をくじかれた。

仕方ない、もう一度気合いを入れ直して話をすすめてゆこう。そう思い、「我がさくらプロダクションには、お兄ちゃんのような品の良い立派な男性社員が必要なんです」と言った。千香ちゃんもすかさず「お兄ちゃん、品が良くて立派だってさ。ほめられてヨカッタね」とお兄ちゃんをおだて、三十パーセントぐらいお兄ちゃんの心を転職に傾けることに成功した。

よし、千香子でかした、と私は心の中でほめ、この調子で一気にお兄ちゃんを崩《くず》しにかかろうと身を乗り出した。

すると、またあのオヤジが料理を運んできて、「アラビアの料理を知ってますか。コレ、アラビアの料理。食べたことある?」などとアラビアのいろいろな話を始めたので困った。こんな時でなければアラビアについて詳しくきくのも悪くないが、今の私にとってアラビアはかなり関係ない対象である。しかし、親切にアラビアの話をしてくれているこのオヤジのことを無視するわけにもゆかず、我々はひととおりアラビアの話をきいた。

一旦《いったん》アラビアに飛んだ心をさくらプロダクションに戻すのは大変だった。これはもう一度出直すしかない。正月に改めて説得をし直そう。そう思い、その日は手短かにさくらプロダクションの仕事内容などを話し、別れた。

そのあとすぐに千香ちゃんから電話がかかってきて「お兄ちゃんの心が、かなり転職に傾いてきてるよ。さくらさん、もう一押しでいけるよ。がんばろう」と知らせてくれた。私は「え、ソレ本当⁉」と叫《さけ》び、お兄ちゃんの心の中でさくらプロダクションがアラビアに雲散霧消《うんさんむしょう》されていなかったことを喜んだ。「もう一押しか。よし、わかった」と私は押しの一手を考え、年が明けるのを待った。

すぐに年は明け、約束通り千香ちゃんは再びお兄ちゃんを連れてやって来た。

今度はエスニック料理屋をやめ、落ちついた喫茶店で話をすることにした。

お兄ちゃんが「あけましておめでとうございます」と言って席に着いたとたん、私は身を乗り出し「お兄ちゃん、こんな私が社長なんかの変な会社に来るのは不安でしょうが、大丈夫。ひとつ腹をくって来て下さい。奥さんもおぼっちゃん達も、決して路頭《ろとう》に迷うようなことはさせませんから」と言った。

まだ「あけましておめでとうございます」としか言っていないお兄ちゃんは呆然《ぼうぜん》としていた。お兄ちゃんが呆然としているスキを突いて私は総攻撃をかけることにした。

「お兄ちゃん、セゾングループから比べれば、さくらプロダクションは非力《ひりき》なちっぽけな会社です。しかし、お兄ちゃんが定年を迎えるまでのあと二十五年ぐらいは、どうにかお兄ちゃんの家庭を不幸にしないで運営できると言わせていただきましょう。印税《いんぜい》です。もしも今ここで私が死んでも、さくらプロダクションには印税が入るんです。印税とは、有難《ありがた》いものなんです」と、私は自ら自分が死んだ場合のことまで話し始めたのでお兄ちゃんはますます呆然とした。

　私も、まさか自分が死んだ場合のことまで言うつもりもなかったが、言ってしまったので成りゆき上しようがなく語り続けた。「もしも私が死んだら、書店では一応〝さくらももこ遺作《いさく》フェア〟というのをやってくれるでしょう。そんな時こそお兄ちゃんの力が必要なんです。私が死んでうろたえる社員や家族をおちつかせ、遺作フェアの期間を少しでも長く延ばす努力をしてほしい。そしてその後も、没後《ぼつご》五年目フェア、没後十年目フェアと、節目ごとの没後フェアに全力を注いでいただければ、どうにかさくらプロダクションも細々《ほそぼそ》と運営してゆけることでしょう」

　自分の没後フェアの企画まで持ち出して語っている状況にハッとした私は我に返り、あわてて「しかし、私はまだ生きているのです。人一倍元気に生きていますから、余計《よけい》安心して下さい。万一死亡した場合にも、没後フェアがあるさと思って気を大きく持って下さい。どうです、お兄ちゃん。セゾンもいいけど、さくらプロダクションも面白いですよ」と、まだ生きている私のことをやや強調して言った。

千香ちゃんも「お兄ちゃん、よかったね。さくらさんまだ生きてるしさ、元気だから。だいたいね、さくらさんは私より年下なんだから。それに健康にすごく気をつけてるし、安心だよ」と私がなかなか死なないことを語った。私も、できるだけ長生きするからよろしく頼むと言い、その日は別れた。

それからまもなく、お兄ちゃんから電話がかかってきて「さくらプロダクションに入社させていただきます」という返事をもらった。やった、お兄ちゃんをスカウトするのに成功したのだ。

私は千香ちゃんと早速《さっそく》連絡をとり、お兄ちゃんの転職を喜んだ。そしてふたりで、「やっぱ、没後フェアは決め手になったかもね」と成功の要因を語り合った。お兄ちゃんを落とすまでには千香ちゃんと私の間でいろいろな苦労があ

死んでも遺作フェアがあります。
……
お兄ちゃんよかったね。大丈夫だって。

った。両家の心配、アラビアのオヤジの乱入、しかしどれも今となってはいい思い出ばかりだ。

——それから一年経《た》ち、アラビアのオヤジの店がいつのまにか閉店になっていた。お兄ちゃんを説得するために使ったあの場所は、もうない。

おめでとう新福さん

昨年の夏、私のエッセイの三部作『あのころ』『まる子だった』『ももこの話』が無事終了した。無事終了してヨカッタなーと思っていたある日、うちのスタッフの井下《いのした》さんがやってきて「さくら先生、エッセイのシリーズも終わったので、打ち上げでもやりましょうということで、集英社の新福《しんふく》さんからお食事のお誘《さそ》いをいただいているのですが…」と言うので私はふんふんと聞いていたのだが、急に井下さんが「…あの、シリーズ中にずっと新福さんにはお世話になっていたので、今回はうちの会社で御食事に御招待するというのはどうでしょうか」とモジモジしながら言った。井下さんはうちの会社でも一番年下なうえにおとなしめの性格なので、だいたいいつもモジモジしているのだ。

そんな井下さんが新福さんを招待したいとはよく言った、えらいぞ井下さん、と私は思い、「うん、そうだね。新福さんにはいつもお世話になっているから、ぜひ御招待しよう」と言ったとたん、私はハッと閃《ひらめ》いた。そうだ、新福さんを思いきりみんなでほめたたえるという会を開いたらどうだろうか、と。

もう、新福さん自身も何が何だかわからないくらい、みんなでほめたたえるのだ。何もこんなことまでしてもらわなくてもいいと思うほどほめたたえるのだ。そんな会を開いたら面白《おもしろ》いじゃないか。

その旨《むね》を井下さんに告げると、おとなしい井下さんの顔がパッと明るく輝《かがや》き「いいですね、それ」と言って大笑いした。井下さんはおとなしいけれど面白い物好きなのだ。余談《よだん》だが、家族の間では野口さんだと言われているらしい。

私達はその場で〝新福さんを讃《たた》える会〟をやることに決め、このことは新福さんには絶対に秘密にするように注意しようと他のスタッフにも報告した。

みんなで何やかんや話をしながら、この会でどのようなことをするのか決めていった。まず、賞状は贈るべきだと誰かが言い、じゃあトロフィーもあげよう、優勝旗《き》も渡そう、くす玉も割ろう、胴上げもしよう、パレードもしよう、と次々に新福さんをたたえるためのアイディアが出てきて、それを私がまとめてシナリオを書くことになった。

私がシナリオを書いている間もどんどん話はすすみ、新福さんとは関係のない人達まで招待して一緒に新福さんをたたえてもらおうということにもなった。そのために招待をする人達を勝手に決め、一方的に招待状を送ろうということになり、それも作って送った。

このパーティーは新福さんの記念すべき日ということで、記念品も作ろうということになり、記念バッジとライターをオリジナル作品として制作した。私は新福さんのことで、毎日忙《いそが》しかった。スタッフも、全員新福さんのことで頭がいっぱいだった。

一方、突然意味不明のパーティー招待状が送られてきた人達からは、次々「一体、何のパーティーですか?…もしかして、さくらさんの離婚のお祝いのパーティーとか…」と、もしまちがってたらどうしようという不安気《げ》な声で電話がかかってきた。しかし、いくら尋《たず》ねられても何のパーティーか詳《くわ》しいことは言えない。万一、新福さんにバレてしまったら、我々の努力は水の泡《あわ》になってしまうので「とにかく何のパーティーでもいいから来て下さい」としか答えずに招待客までも煙《けむ》にまいた。

夏が過ぎ、秋になった。パーティーは十月九日だ。私のシナリオも出来、いよいよ準備も大詰めとなった。パーティー会場を借りる費用や記念品、おみやげ、衣装《いしょう》代など、総予算およそ五十万円余りがかかることになった。しかし、五十万円で新福さんのことをみんなでたたえることができるのなら安いものだ。そんなことめったにできやしない。みんなそう思い、五十万円は安い、と口々に叫んだ。

パーティーの日が近づくにつれ、社員全員で打ち合わせをしたり、小道具の作製やシナリオの暗記《あんき》など、さくらプロダクションはますます忙しくなった。

色はもちろん新福さん一色だ。他の仕事をしている場合ではない。

パーティーの三日前から、スタッフ全員で本格的なリハーサルをやることになった。各自、次々と何回も出番があるため、その都度《つど》衣装をかえて急いで登場しなくてはならない。もたもたしてはテンポが悪くなるので、リハーサルは何度も繰《く》り返された。私の主な役は、新福さんの親戚《しんせき》の不良男子高校生と、新福さんの近所に住む九十六歳のおばあさんというものだ。不良男子は新福さんに記念品のドラえもんの大きなぬいぐるみをわたすために登場するのだが、シンナーを吸っていたので大暴れをして迷惑をかけるという設定だ。おばあさんのほうは、孫に背負われて「新福さんおめでとう」とお祝いの言葉を贈るために登場するのだが、舞台の上で突然心臓マヒになりひっくり返って救急隊に運ばれて去るという設定である。ろくでもない役なのだ。だが、社員全員コレに準ずるろくでもない配役になっており、容赦《ようしゃ》なく演じなくてはならない。「私は演技がヘタなのでやりたくありません」などと言う者がひとりもいなくて助かった。皆、「ヘタでもやります。がんばります」と言い、くだらない衣装を身にまとい、ばからしいセリフを暗記し、真剣《しんけん》にリハーサルに取り組んだ。

こんなに大がかりに真面目《まじめ》に取り組んでいるのも全て〝新福さんをビックリさせる〟という一点の理由に尽きるのだ。根本的に可笑《おかし》いので、リハーサルの最中もみんな「これも新福さんをね…」と合言葉のように言うだけで何度も笑った。他の仲間が演じているのを見ても大笑いし、自分の役を演じる番になっても大笑いしてしまう。〝笑わずにやる〟ということだけでも慣れるまでに時間がかかった。項目の中でも特にパレードはあまりにもくだらなく、どうしても全員ゲラゲラ笑ってしまうので何度もやり直した。

パーティー当日、我々は昼すぎからパーティー会場に荷物を運び、てきぱきと勝手に会場内を飾りつけ、イスやテーブルを人数分だけ並べた。会場を貸す店のオーナーは、我々のあまりにも勝手な行動にうろたえていたが、別に店をメチャクチャに荒らそうとしているわけでもなさそうだと思ったらしく、必要以上に口出ししないで見守る態勢に入っていた。

会場は、チリ紙で作った花や風船で飾りつけられ、小学生のお楽しみ会みたいな感じになった。新福さんをたたえるのにはふさわしい感じだ。昨夜、リハーサルの後でみんなで風船をふくらましたかいがあった。

会場に備えつけられているズラリと並んだTVモニターの全てに、新福さんのアップが映し出される仕組みになっている。準備は万端《ばんたん》だ。もうすぐ招待客がやってくる。

定刻通り、続々と招待客がやってきた。皆、〝一体何のパーティーだろう…〟と思いつつ、何か面白いことがあるんじゃないかという期待の混じった表情をしている。招待した人達のほとんどが、新福さんとは縁《えん》も縁《ゆかり》もない人達だ。なぜこのパーティーに自分が招待されたのかもわからないだろう。

招待した人達のほぼ全員が集まってくれた。かなり出席率が高い。私達は喜び、〝これでパーティーは成功したも同然だ〟と心の中で思った。新福さんは他の招待客より三十分遅れて来る予定になっている。新福さんが来るまでの間に、招待客にパーティーの主旨《しゅし》を説明し、一致団結して盛り上げてくれるように協力を求めた。

パーティーの主旨をきいた参加者全員が手を打って喜んだ。そのタイミングで会場内のTVモニター全部に新福さんの顔のアップがパッと映し出され、場内は笑いと歓声に包まれた。新福さんに縁《えん》も縁《ゆかり》もない人達が、今、一致団結して新福さんをたたえようとしている。皆、今までの人生で味わったことのないばからしい興奮を感じているようだ。その興奮こそ、大切なのだ。新福さん、そして縁《えん》も縁《ゆかり》もない人達、そしてさくらプロダクション全員、皆その興奮をこのパーティーで得《え》てほしい。〝あの日、変わった体験をしたな…〟という思い出を作ってもらいたいというのがこのパーティーのねらいなのだ。

何も知らずにのこのこと、遂《つい》に新福さんがやってきた。そのとたん、縁《えん》も縁《ゆかり》もない人達がワ――ッと歓声をあげ、大拍手をし、「新福さん、おめでとう、おめでとう」と口々に叫びクラッカーがパンッパンッと鳴った。

新福さんはそりゃもう何が何だかわからない。TVモニターには自分の顔が映っているし、知らない人達からお祝いを言われる筋合いもない。でも、なぜかみんなが自分のことを「新福さん」だということを知っていて、非常に好意的に迎えてくれている。一体どういうことなんだ？

という新福さんの動揺《どうよう》を全く無視し、新福さんは自動的に舞台の上の席に座らされた。そして彼が何かを考えるヒマも与えられずにパーティーは始まった。

新福さんが座ったとたん司会の賀来兄《かくあに》が喋《しゃべ》り始め、舞台のそでから天使が現れ賞状を読み上げている。「えー、賞状!?」と思っていると次に優勝旗をわたされ、「えー、優勝旗!?」と思っているうちに次はハワイからやってきたという姪《めい》っ子に花束を贈呈《ぞうてい》される。援助交際の相手の女子高生がトロフィーを持ってきたり、SMクラブの女王が乾杯を言いにきたり、不良の甥《おい》っ子が記念品を持ってきたり、近所の婆《ばあ》さんが倒れたり、次から次へと一方的に新福さんは祝

ワーー!!
おめでとう新福さん!
えっ!?何?
おめでとう!

われ、たたえられた。

後半の、〝新福さんしか当たらないクジ〟というコーナーで見事に大当たりをした新福さんはとうとう参加者達に胴上げをされ、パレードがねり歩き、記念撮影と握手会《あくしゅ》が行われた。新福さんはすっかり人気者になっていた。握手会では新福さんに抱きつく人もいた。よかった。本当によかった。この日のために、三ヵ月前から社内総出で取り組んできたかいがあった。

参加者達も皆「こんな思いをしたのは生まれて初めてだ」とか「まるで龍宮《りゅうぐう》城《じょう》へ来たようだった」と感動を語り、おみやげの記念バッジとライターと甘栗《あまぐり》を持って帰った。

終了後、我々は事務所に戻り、録画していたパーティーの一部始終を見ながら反省会を行った。今回の反省点としては〝くす玉が割れなかった〟ことが挙げられ、次回からはもっと割れやすいくす玉を用意しようという事になった。それ以外は段取り通りに進み、よく出来た。〝みんなに変わった思い出を作ってもらいたい〟という私のねらいも無事達成し、全員変わった思い出ができた。五十万円かけたかいがあったというわけだ。

ヒロシの調子

うちの両親は早寝をしている。前に八百屋《やおや》だったせいもあり、昔から早寝早起きをしていたが、今も私の息子と一緒に全員夜九時には眠っている。早いよな、と思う。でも私は夜中に勝手に過ごせるので助かっている。

私の友達は、だいたい九時過ぎから遊びに来ることが多い。だから親が友人達に会うことは滅多《めった》にないのだが、たまに早い時間に遊びに来た友人がいるとヒロシや母に会うはめになる。

このまえ吉本ばななさんが遊びに来た時は、まだ昼間だったのでうちの両親に会うことになった。母は「吉本さんに会えるなんてうれしい。サインをもらおう」と言ってサイン用紙とペンを持ち、ソワソワしていた。母は吉本さんの小説をよく読んでおり、その都度《つど》感動していたのだ。一方ヒロシは吉本さんの小説どころか私の本もいつも読んでおらず、自分のことを書かれているのにそれも知らないで生きているため、母が「ばななさんが来るんだってさ」と言ってもどういうばななさんかよくわかっておらず、「ばななさんて、一体どういうばななのことか」と尋《たず》ねて母に呆《あき》れられていた。

できれば、私はうちの親を吉本さんに会わせるのは避《さ》けたいと思っていたが、母はもう楽しみにしているので会わせてやらないのも気の毒だ。しかし、ヒロシはやめようと思った。吉本隆明《たかあき》を父にもつばななさんに、父ヒロシを見せるだけでも大恥《おおはじ》である。

私は吉本さんに「悪いけど、うちのお母さんにだけでも会ってくれる？　ヒロシはさ、なんか失礼なことがあるとわるいから」と言ったが吉本さんは「父ヒロシも見たい」と見たがったので、一応見せることにした。

親を呼びに行くと、母はすぐにやってきた。そしてうれしそうに吉本さんにサインをしてもらい、自分がいつも本を読んでいることを伝えていた。

いつまで経《た》っても父ヒロシが来ないので、もう一度呼びに行くと、モタモタとトイレから出てきて「よう」と呑気《のんき》に私に声をかけてきたので私は「〃よう〃じゃないよアンタ、今、吉本さんが来てるんだから、ちょっとあいさつに来てって言ってるじゃん」と言うと父ヒロシは「お、吉本さんてアレか、果物《くだもの》の」と言うので「そうだよ、ばななだよ」と、ヒロシにしては果物というところまでよく覚えていたと一瞬《いっしゅん》感心したが、考えてみれば今朝《けさ》まで「ばななさんが来る」という話題でもちきりだったのだから、正式に果物名まで覚えていないヒロシはやはりどうかしている。

私がヒロシを連れて来たとたん、ひと目見るなり吉本さんは本人の前で大笑いしてしまった。まだヒロシがあいさつも何もしていないのに、ひと目で大爆《だいばく》笑《しょう》だったのである。

大笑いしている吉本さんを見てヒロシはなす術《すべ》もなく、いつも通りニヤニヤしていた。吉本さん自身も〃いくらヒロシでもひと目見るなり大爆笑じゃ失礼だよな〃とたぶん思っていたと思うがどうにもこうにも止まらない様子だった。私はヒロシの出番はもういいと思い、「おとうさん、もうあっちに行っていいから」と言ってヒロシを部屋から追い出した。結局ヒロシは何も言わず、本当に吉本さんに姿を見せただけで去っていった。

ヒロシの去ってゆく姿を見て、吉本さんはますますウケていた。そして「ヒロシが見れてよかった。ああホントによかった」と言ったので私も父ヒロシを見せただけでこんなに喜んでもらえるのなら、一応見せてよかったな、と思った。母も「吉本さんに喜んでもらえてよかったよね、一応つれてきてさ」と言っていた。

また、ある日の夕方千香ちゃんが、うちにちょっとだけ遊びに来ることになり、両親の分も手土産《てみやげ》を持ってやってきた。

私は千香ちゃんが来ることをうっかり親に言ってなかったので、すっかり油《ゆ》断《だん》していた母はあわてふためき、「今から化粧《けしょう》するから」と言い出したので

「そんなことしなくていいから」と言って玄関先で待っている千香ちゃんのところに連れ出した。

母は「すいません、こんな格好《かっこう》で…」と恥ずかしそうにしていたが、千香ちゃんは別に気にもせず「いえいえそんな、お気遣《きづか》いなく」と美しい笑顔で応《こた》えていた。母は、以前から何度か千香ちゃんと会っており、お互いに慣れているから私も安心していた。

ところが、父ヒロシは千香ちゃんに会うチャンスを毎回逃《のが》しており、玄関先に千香ちゃんがいることを知ったとたん、自分がパンツ一丁《いっちょう》なのも忘れてのこのこ出てきたので私も母も大あわてでヒロシを止めた。

いくら賀来千香子見たさとはいえパンツ一丁なのを忘れて出てくるなんてうかつにも程《ほど》がある。千香ちゃんに失礼ではないか。そう思い、私は「千香ちゃん、ごめんね」と言おうとしたら、千香ちゃんはすでに大ウケで笑い転げていたので安心した。

吉本さんも千香ちゃんも、ウケてくれたから良かったものを、ヒロシのあの調子はこのまま放っておいたらダメだということが私と母の間でたびたび話題になった。

しかし、あの年になり今さらあの人格を変えるということはとても不可能だ。ヒロシは私が生まれる前からあの調子だったのだ。母もヒロシに出会った時からあの調子だったと言っているし、ヒロシ本人にきいてみても生まれた時からこの調子だと語っていた。

人が、生まれた時から六十年以上も変わらずに一定の調子を保《たも》って生きてこれるのは貴重なことかもしれない。どんな経験をしてもヒロシの調子は変わらなかったのだ。ヒロシは、外部からの刺激《しげき》に何も影響されず、〝ヒロシの調子〟を守り続けてきたのだ。

思えば、ヒロシは何も学ぼうとしていない。TVをみてもその場だけ楽しみ、後まで詳《くわ》しくその内容を覚えていない。これは私にもあてはまることだが、実は私も映画やドラマや小説などの筋《すじ》をほとんど覚えていないのだ。くだらない性分《しょうぶん》を受け継いでしまったと思う。

あと、ヒロシは間違った記憶でも平気で口に出して言うのだ。例《たと》えば、数年前、レオナルド熊《くま》さんが亡くなった時、その報道を見たヒロシは「おい、マクドナルド熊が死んだぞ」と家族に報告し笑い者になった。またある時は、『暴れん坊将軍』のタイトルがどうしても思い出せず、「あのよォ、アレだよ、馬に乗ってる奴《やつ》がこう、大暴れして、ホラ、健《けん》。高倉《たかくら》健。さむらいだよアレ、何だっけ?」と自分があれこうだと大暴れしてとうとう母から「うるさいね、『暴れん坊将軍』でしょ」と叱《しか》られていた。惜しいところまでは思い出すのである。ただちょっと違ったりしているのだ。鈴木その子を鈴木ツヤ子と言ってみたり、何度言ってもホフディランとコーネリアスはアメリカ人だと思っていたり、健康食品の錠剤《じょうざい》を毎日私が飲んでいるのを見て何か病気にかかっているんじゃないかと心配してみたり、そういう細かい間違いを繰り返しているのもヒロシの特徴《とくちょう》といえる。

こんなに間違う人もいないだろうと思っていたら、先日、糸井重里《いといしげさと》さんの誕生パーティーに行った時、かなりヒロシに近いレベルで間違う人に出会った。その人は和田さんという五十歳位の男性で、外見からは間違う人だとも思えないが、周りの人達が全員「和田さんは間違う。とにかく間違う」と言っているし、和田さん自身も「ついつい間違ってしまう」と言っており、本当によく間違うのだということがうかがえた。私は和田さんの間違いに興味をもち、「ちょっとどういう間違いがあったかきかせてほしい」と言ったところ、周りにいた人達が次々と和田さんの間違い話をきかせてくれた。

その中でも心に残った話は、和田さんがステーキ屋に行ったとき、角切りステーキを注文しようとして、ボーイさんが角刈りだったのを見てつい「角刈りステーキ」と注文してしまったというのだ。これは気持ちはわかる。私もそう言ってしまう可能性がないとはいえない。和田さんは悪くない。角切りステーキを注文しようと思っていて角刈りのボーイを見たら、五分五分《ごぶごぶ》で間違う可能性があると思う。私がそう言うと、和田さんは「そうでしょう、やっぱり」とうれしそうに言った。

しかし、和田さんはまたもステーキ屋で間違えたのだ。今度は〝ひとくちフィレステーキ〟を注文しようとして「フィレくちひとステーキ」と言ってしまったという。これは完全にヒロシ的な間違いだ。ヒロシならそう言う可能性がある。

和田さんはやはりヒロシと同じく、人の名前やタイトルなどもどんどん間違えるらしく〝観月《みづき》ありさ〟を〝かんづきあさり〟と間違え、〝ちびまる子ちゃん〟のことを〝ちびっ子まるちゃん〟と間違えていたらしい。

かんづきあさりもちびっ子まるちゃんも、気持ちはわかるし誰《だれ》のことを言っているかもわかるが上も下も違っている。観月ありさの場合、苗字《みょうじ》が読めずに間違うことはあるかもしれないが、〝ありさ〟は平仮名《ひらがな》なのだから、おちつき

わかるなっ
和田さんのキモチ
言うよな
角刈りステーキって
……
言わないとは
言えない私

さえすれば間違わなくて済むのに〝あさり〟と間違うのがヒロシや和田さんタイプなのだ。

和田さんは私にむかって「ちびまる子ちゃんのこと、ちびっ子まるちゃんってついつい言っちゃいそうになりますよねぇ?」と言ったので私は「そうかもしれませんね、だいたいそれで当たってますから」としょうがなく答えた。

和田さんがあまりにも間違うので、周りの人達が和田さんの間違いを記録し、とうとう『ワダダス』という小冊子《しょうさっし》にまとめて糸井さんに寄贈《きぞう》していた。糸井さんはそれを見て大笑いし、和田さんに「和田さん、ホントよく間違うよねー」と改めて言っていた。

うちに帰ってヒロシに和田さんのことを語ったら「わかるなァ。和田さんの気持ちが。言うよな、角刈りステーキって。なァ」と私に同意を求めてきたので私も「…うん」と答えた。くやしいが、たまたま角刈りステーキの件だけは自分でも自信がない話だったのだ。他の話なら同意しないのに、他の話の同意はヒロシは求めてこなかった。

浄水器のフィルター

昨年、姉が浄水器《じょうすいき》を持ってうちにやって来た。「この浄水器はとにかく性能《せいのう》が良いから使いな。フィルターは一年ぐらいもつから」と言って去っていった。それから十カ月後にフィルターの交換《こうかん》のランプがついたので姉に連絡をし、新しいフィルターを持ってきてもらった。

姉はフィルターを交換し、古いフィルターを台所の隅《すみ》において「このフィルターは燃えないゴミに出せばいいから」と言った。私はそのフィルターを見て、「ねぇ、コレ、外はプラスチックだけど中のフィルターは燃えるゴミに出した方がいいんじゃないの?」と言うと姉も「あ、そうかもね。じゃあちょっと調べてみよう」と言ってそのフィルター容器を開《あ》けようとしたがどこにも開けるためのつなぎ目がないので「コレ、開かないね」と言ってまたフィルター容器を台所の隅においた。

開かないようになっているのなら、容器ごと燃えないゴミに出せば良いということだろう。私も姉もそう思い、浄水器のフィルターのことなど忘れて食事に出かけた。

すっかり酔っ払って家に戻ると、また台所の隅においてある浄水器のフィルターの容器が目に入った。姉と私は同時に浄水器のフィルターのことが気になり、「この容器の中のフィルターはさぞ汚《よご》れているんだろうね」とふたりで言い出した。

姉が「この浄水器は性能がいいんだからさ、普通の浄水器のフィルターよりよくとれているよね、ゴミや不純物が」と言うので私も「うん、そうだろうね。ゴミや不純物がいっぱいとれてるだろうね」と同意した。

姉が「どれだけとれてるんだろうね」と言うので私も「さあ、どれだけとれてるのかな」と言った。姉は「だってさ、フィルターを取り替えなきゃならないほどとれたってことは相当とれたんだよね、コレ」と言うので私も「そうだよね。取り替え時期がきたフィルターは相当汚れてるだろうね」と言った。ふたりとも、どのくらい汚れているか見たくて仕方ないのである。

とうとうどちらともなく「開けてみようか」と言い出し、開かないようになっているプラスチック容器をムリやり開けることになった。

プラスチック容器は直径十二〜十三センチの筒型《つつがた》をしており、相当しっかりできているのでちょっとやそっとじゃ開きそうもない。私達はノコギリでプラスチック容器を切ることにした。

姉が筒を持ち、私がノコギリを動かした。予想以上にプラスチック容器は硬く、作業は難航《なんこう》していた。

その時、母がやってきて「あんたたち、何やってるんだねっ」と私達を見て言った。姉は「この中に浄水器のフィルターが入ってるんだけどさ、どれだけ汚れてるか見たいと思って、今開けてるんだ」と言うと母は「なんでそんなも

55　浄水器のフィルター

ん見たいのかね」と言うので私は「だからどれだけ汚れてるのか見たいんだって言ってるじゃん。フィルターが汚れてるのを見ればさ、『ああ、こんなに汚れているんだから、やっぱり浄水器があってよかったな』って思うでしょ」と言った。

それをきいて母は「ばからしい。そんなことのために夜中にノコギリまで出してきて、ふたりともバカだよ」と言って去っていった。

私と姉は「…バカだよね、ホント」と言って、なんか急に面倒臭《めんどうくさ》くなり「やっぱりやめよう」と言い合って作業をとりやめにした。

ふたりでしばらくどうでもいい話をダラダラと喋《しゃべ》っていたのだが、また浄水器の話題になった。あの浄水器のフィルターが、どれだけゴミをとったかどうしても気になるのである。ひと目見ればそれで気が済むのだ。

私達はまたノコギリで容器を開ける作業に取り組むことにした。

先程《さきほど》と同じように姉がプラスチック容器を持ち、私がノコギリを動かした。

少しずつしか作業は進まず、非常に根気《こんき》が必要だ。それに力もいる。私も疲れるが姉もプラスチック容器を支え続けているので同じくらい疲れる。ふたりとも、顔がまっ赤になるほど力を入れ続けている。肩の筋《すじ》や腕の筋肉が痛い。

それでもふたりともやめようとしなかった。お互いに「もう少しだ」「ガンバレ」と声を掛け励《はげ》まし合い、この作業に没頭《ぼっとう》していた。

どれくらい時間がかかっただろう。とうとうプラスチック容器は開けられた。中からうす茶色に染まったフィルターが出てきた。

それを見た姉と私は「やっぱり汚れてるよね」とだけ言い、プラスチック容器もフィルターもまとめて燃えないゴミの袋に入れた。

深まる息子の疑惑

息子が、最近また私のことをさくらももこではないかと疑《うたが》いだしている。「ママは、さくらももこなんでしょ」と言うので私は「ちがうって言ってるでしょ。あんたね、そんなこと言ってるとみんなに笑われるよ。さくらももこはみんなから笑われてるんだからね。ママはそんな人じゃないよ」と言ったのだが息子は「でも、さくらももこがコジコジやまる子をかいてるんでしょ。ママも描《か》くじゃないか」と言った。

私は焦《あせ》って「ママはね、なんでも描けるんだよ。さくらももこはコジコジとまる子しか描けないけど、ママはいろんなのが上手《じょうず》に描けるのっ」と言うと息子は「じゃあのび太君を描いてくれよ」と言った。

のび太君とはまたやっかいなキャラを注文してきたものである。ドラえもんならすぐに描けるが、のび太君はちょっと難《むずか》しい。お手本がなければムリだ。私が困惑《こんわく》していると息子は「なんだ、描けないのか」と言ったので頭にきて「描くよ。ちょっとまってな」と言って記憶だけを頼りにのび太君を描いた。すると息子は「ちがう、こんなの、のび太君じゃないぞっ」と私の下手《へた》なのび太君の絵に文句を言い「やっぱりママはコジコジとまる子しか描けないんだ」と言った。

私はあわてて「ちょっとまて」と言い、息子に頼まれてもいないのに急いでドラえもんとアンパンマンの絵をかいた。これならすぐにうまく描けるのだ。描いた絵を前にして私は「ホラ、うまいでしょ。ママはいろんなのが描けるんだよ。コジコジやまる子だけじゃないんだからね」と言うと息子は「ふーん。じゃあさ、しずかちゃんを描いてよ」と言うではないか。

また難しいものを頼まれてしまった。今までの人生で、しずかちゃんを描いたことは一度もなかったので私は再び困惑した。

私はおちついてしずかちゃんを詳《くわ》しく思い出そうとした。すぐに頭の中にはハッキリと、いつもドラえもんのアニメに出てくるしずかちゃんの顔が浮かんだ。しかし、それをどうやって正確に紙の上に転写《てんしゃ》すべきか。

ちょっと描いてみたが、ちがう。これはしずかちゃんではない。息子も「こんなの、しずかちゃんじゃない」と言っている。まずい、のび太君に続いてしずかちゃんまで似てなかったら、ますます息子のさくらももこ疑惑《ぎわく》が深まってしまうではないか。

私は似てないしずかちゃんをこれ以上何回も描くのをやめ、「はいはいはい、ママは忙《いそが》しいからまたあとで描こう」といきなり絵を描くのを中止した。

夜になり、私はのび太君としずかちゃんの絵を練習した。簡単そうで難しいなァなどと思いながらうまく描けるように練習を積んだ。もしもの場合に備《そな》えて、スネ夫とジャイアンも練習しておいた方がいいかもしれない。息子はけっこう脇役《わきやく》のキャラに注目するタチなのだ。ちびまる子ちゃんの中でもたまちゃ

いきなり描いてみたら、ぜんぜん似てなかったので
疑われることになった のび太としずかちゃん。

んのお父さんと佐々木のじいさんと川田さんをわりと気に入っている。あと、山根が腹を押さえて「うっ…胃腸が…」と言う姿も気に入っているようだ。

ドラえもんのキャラクターを描けるように準備していたのに、息子はぜんぜん頼んでこないので仕方なく自分から「ねぇ、のび太君を描いてあげようか」と言った。せっかくそう言ってやったのに息子は「別にいいよ」とつれない返事をしたので私は寂《さび》しくなり「おいおい、描いてやるって言ってるんだから」と息子を追いかけて無理やりのび太君を描いて見せることにした。

練習したにもかかわらず、のび太君は失敗してしまった。描いてくれと頼まれたわけでもないのに無理やり描いて失敗するとは相手が息子とはいえ少し気まずい。

私が気まずそうにしていると、息子は私に気を遣《つか》ったのか「じゃあ、まる子とたまちゃんを描いてくれよ」と私の得意な分野を頼んできたので一応それも描くことにした。

私はわざと少し似てないまる子とたまちゃんを描いたが、のび太君よりはうまく描けている。息子は「あ、まる子とたまちゃんだ」と言って喜び、「今度はまる子の家族とたまちゃんの家族も描いてくれ」と頼んできた。

私はちょっと考えた。今ここでそれを描いたら、やっぱりママはさくらももこなんじゃないかと思われてしまうに違いない。描けないと言おう。

そう思い「そんなにいろいろ描けないよ。さくらももこじゃあるまいし」と言ってペンを置いた。そう言ったあと、我ながら「さくらももこじゃあるまいし」というフレーズはなかなか使えるな、と気に入った。今後、息子が疑った時には「さくらももこじゃあるまいし」と頻繁《ひんぱん》に使おう、そうすればいつのまにか息子も「そうだよな、さくらももこじゃあるまいし」と自然に思い込むようになるかもしれない。

頻繁に使おうと思っていたのにいざとなるとなかなか使う機会がないものだ。意味もなく乱用するのも変なので使う機会をひたすら待った。

待ったかいがあり、使うチャンスが訪《おとず》れた。息子が「なんで山根君はすぐに胃腸が痛くなるのかな」と私にきいてきたのですかさず、「知らないよそんなこと、さくらももこじゃあるまいし」と答えた。近くにヒロシがいたので「ねぇ、おとうさん、さくらももこじゃあるまいし、そんなこと知らないよね」と更《さら》に同意を求めるとヒロシは「…ん、さあ、どうだかな…」と鈍《にぶ》く気の利《き》かない返事をしたので私はヒロシの尻《しり》をピシッと軽く叩《たた》き「ダメじゃん、せっかくさくらももこじゃあるまいしって言ってるんだから、もっと打てば響くように『ああそうだそうだ』って言ってくれなきゃ」と注意した。

するとヒロシは「ああそうか」と言い、急に「さくらももこじゃあるめぇしなァ」と言ったので私はまたヒロシの尻をピシッと叩き「ちょっともう遅いよ。関係ない時に言うんじゃないよ」とあわてて言った。

そんなある日、息子は私宛《あて》に届いたFAXを見て「ここに、さくらさんって書いてあるけど、ママのことなんでしょ」と言ったので私は「ちがうよ、さくらももこじゃあるまいし」と言ったのだが、目の前に「さくらさんへ」というFAX用紙を置かれてもまだそんなことを言うのはかなりムリがある気がした。

でも「そうだよ」というわけにはいかない。ここで肯定《こうてい》してしまったら、息子はさっそく保育園の友達に喋《しゃべ》り、私は園児達に見かけられるたびに「まる子だー」などと指をさされて笑われることになるだろう。それがイヤなのだ。子供というのはそういうことにブレーキをかけないで冷《ひ》やかしたりジロジロ見たり、好奇心を丸出しにする。私はそれがすごく苦手なのだ。「あーっ」と言われて指をさされたりすると「ギャー」と叫んで逃げ出したくなる。だから、いくら息子にきかれても当分の間はちがうと言い張らなくてはならない。

「さくらさんへ」と書かれたFAX用紙を目の前に置かれても私は「ママにきたFAXじゃないよ」と言い切った。息子は「じゃあコレ、何?」ときくので私は「うーん、何だろうね」と、とぼけた。息子は怪《あや》しみ、「何だろうねって、何だよ」と言った。ホントに自分でも何だろうねじゃねえだろオイ、とは思っていたが、もうそう言うしかなかったのだ。

私は息子に「わかんないよ。何でさくらさんなんて書いてあるんだろうね、ママはさくらももこじゃあるまいし」とまたあのフレーズを使ってごまかした。

FAXの宛名はかなりバレ率が高いから気をつけるようにとスタッフ全員に知らせた。その日からスタッフは皆、「SAKURA先生へ」とローマ字で宛名を書くようになった。

これでFAXの件はとりあえず安心だ。

そんなある日、息子は「ママの会社はさくらプロダクションだよね」と言うので内心ギクッとしたが何でもないふりをして「ああ、そういえばそうかもね」と言った。それ以上余計《よけい》なことをきくなよ、と思っていたのに息子は一番余計なことをきいてきた。「さくらプロダクションって、さくらももこの会社なの?」

さあ何と言おうかと私は考えた。そして、ちょっといい事を思いついた。

〝さくらももこがらみの仕事をしている会社だが、別に本人は直接会社に関係があるわけじゃない〟これだ。

私は息子に今思いついたことをそのまま言った。息子は「?・」という顔をしていた。それでいいのだ。このさい、何の会社だかよくわからなくなってくれた方が都合《つごう》が良い。一応、さくらももこがらみの仕事をしている会社だと言っておいたので、我が家にさくらももこの作品や、彼女の関係商品などがあることも不自然じゃないだろう。

当分これでいこうと思う。さくらプロダクションはさくらももこがらみの仕事をしているけれど、さくらももことは直接関係がないのだ。そして私はさくらももこじゃあるまいし、まる子の家族やたまちゃんの家族の絵は描けないが、ドラえもんのキャラクターは少しうまく描ける。

母の心配

昔から母はいろいろと心配していた。姉が生まれる前からお腹《なか》の子供が心配だと言って心配していたようだし、私が生まれる前にも同じように心配していたようだ。姉が生まれた後はちゃんと育つか心配し、私が生まれた後もちゃんと育つか心配し、幼稚園に通えば幼稚園でケガをしないか心配し、小学校に通えば勉強についていけるか心配し、中学では不良になったら困ると心配し、高校では将来のことを心配していた。

今書いた以外にも、雨が降れば下水があふれることを心配したり、風が吹けば店の看板《かんばん》が飛ばされるんじゃないかと心配したり、台風がきたりしたらもう家ごと飛ばされるかもしれないなどと騒ぎ、いちいち心配な日々を送っていた。

そして、現在もまだまだ彼女は心配な日々のまっ只中《ただなか》にいる。

まず孫の事が心配だ。母にとって孫は命より全然大事なのだ。もちろん私や姉や父ヒロシより全然大事だ。私達三人がまとめて死んでも、母は孫さえ生きていればこの先も生きてゆくだろう。実際、母の口からそのようなセリフが吐《は》かれたのを何度か私達三人は耳にしている。母は「あたしゃねぇ、あんたたち三人のことはどうでもいいんだよ。でも、この子だけは…」と言って孫を抱きしめる姿を目の前にし、どうでもいい三人はタテ線ひきつり笑いをして黙《だま》っているしかなかった。私と姉は子供の頃、母がよく「あんた達だけは…」と言ってふたりとも抱きしめられた記憶があるから、かつてはどうでもいい存在ではなかったのだ。しかし、父ヒロシがどうでもよくない存在に抜擢《ばってき》されたのを見たことがない。今も昔も、彼はどうでもいい者として家族の中に君臨《くんりん》している。

昨年の十一月、母は急に「あのさ、あの子の七五三をやった方がいいんじゃないの」と言い出したので私は「まだ四歳だから来年でしょ」と言うと母は「かぞえ年で五歳だよ。かぞえ年でやる子も多いんだから、うちもやればいいじゃん、心配だからさ。今年も一応簡単にやっといて、それで来年は本格的にやればいいよ。二回厄払《やくばら》いしとけば安心だからさ」と言ったので呆《あき》れた。孫の厄払いは二回もすると言っているくせに、どうして私が三十二歳のときには厄払いをしろと言ってくれなかったのか。おかげで私は別居だ離婚だと大騒ぎになり、その厄の被害は家族や会社のスタッフまでも振り回すという広範囲に及《およ》んだ。そういえば姉が厄年《やくどし》の時には、姉と私は姉妹始まって以来の大ゲンカをし、二年間も絶縁状態になった。これも、母にとってはどうでもいい三人のうちの二人が、厄払いを忘れていたために起こった事だから仕方あるまい。

母の命令で私はしぶしぶデパートに七五三の服を買いに行った。息子の服を買って帰って来ると、母は「サイズが合わないといけないから、さっそく着せてみよう」と言い、TVをみている息子とヒロシを呼んできて、息子に服を着せた。

服を着せたとたん、まだ七五三の当日でもないのに急に家族全員盛り上がり、

静まりかえる
他の3人
あたしゃね
他のはどうでも
いいんだよ
この子
だけ…

室内で記念撮影をすることになった。私は夏にライカのカメラを買ったので、まるでたまちゃんのお父さんが乗り移ったようにはりきり、七五三の服を着た息子を激写《げきしゃ》しまくった。初めは調子に乗ってポーズをとっていた息子もだんだん疲れてきて、遂《つい》に「もういいかげんにしろよ」と突然冷めた口調で私に言い放ち、そのあと父ヒロシや母までも「今ここでそんなに撮っても意味がないのにバカだね、ももこは」などと言い出し、私だけがその場にとり残された。

七五三の当日、息子だけでなく私も母も父ヒロシも一応全員スーツを着た。朝早くから支度《したく》するだけでけっこう疲れた。お宮参《みやまい》りに行く前に写真屋さんに行く予定になっていたので、まずは写真屋にむかってみんなで歩き始めた。途中で母が「あ、千歳飴《ちとせあめ》がないよ。買わなきゃ」と言い出したため、面倒臭《めんどうくさ》いが少し離れたスーパーに行ったのだが売り切れており、仕方なくもう一軒のスーパーに行ってみたがここでも売り切れていた。私達は、写真屋にたどり着く前にかなり疲れてきた。家族そろって正装してスーパーを巡《めぐ》っているのも一体何のためだろうと思えてきた。父ヒロシが「おう、アメなんてよォ、もういいだろ。もしかしたら、写真屋にあるかもしれねぇぞ」と言ったので私も母もハッとし「そうだ。写真屋にあるかもね」と言い合い、たまにはヒロシもいいことを言うじゃないかとふたりとも思った。

写真屋に着くと、やはり千歳飴が用意されていた。用意されているとは言っても千歳飴の袋だけで中身は入っていなかったが、写真を撮るには袋だけで充分だ。私達はホッとした。息子は空《から》の千歳飴を持ち、立派にスポットライトに照らされている。あの袋の中にまさかアメが入ってないなんて、そんなこととても思えない光景だ。

いよいよ撮影に入ろうとした時、息子はVサインの手を高く上げ、とってつけたような笑顔をし、足はガニ股《また》に開いた。私と母はあわてて「こらっ、普通にしなさい」と叫び、写真屋の人も「ボク、普通でいいから」と続けて叫んだ。普通でいいからと他人にまで言われるなんて、恥ずかしいったらありゃしない。

しかし、それがわからぬ息子は「なんでこれがわるいんだよー」と怒り、怒ったままVサインの手を上に上げていた。

私は息子を睨《にら》み、「こら、手を下げなさい」と叱《しか》った。息子は口惜《くや》しそうな顔をして手を下《おろ》し、仏頂面《ぶっちょうづら》でおとなしく立った。写真屋さんはおとなしくなったところを急いで何枚か押さえ、息子ひとりだけの撮影は終わった。

次に家族みんなで撮影してもらおうということになり、私とヒロシと母は息子を囲んで照明の下に並んだ。また息子がVサインをしていたので私は怒り「こら、Vサインをするんじゃないって言ってるでしょっ」と言って睨んだ。息子も私も仏頂面になった。写真屋さんは「ハイ、ママもボクも笑って笑って」と言って私と息子をなだめたが、私も息子も笑えなかった。

撮影が終わり、私達はグッタリ疲れた。私は「…もう、いいよね、お宮参りに行かなくても…」と言うと、父も母も「…うん」と言い、そのまま家に帰ることになった。今年の七五三はリハーサルなのだ。また来年やるんだからこれでいいのだ。皆、そう思った。

数日後、写真が出来上がってきた。見ると正装した我々が並んで写っていた。私の顔はひきつっており、息子は仏頂面、父ヒロシは何も考えてない顔、母は疲れていた。その写真を見た姉は「コレ、何?」と言った。

本当に、コレ何だろう。お宮参りをしていないのに七五三の服を着た子供が空の千歳飴を持って、変な女と老人ふたりに囲まれている写真なんて、姉にしてみりゃ「コレ何?」とでも言うしかない。

そこへ母がやってきて「ちょっとあんたたち、ききな」というので私と姉は黙ってきく態勢に入った。母が〝ちょっとききな〟と言う時は、間違いなく何か説教を始める前フリなのだ。私は〝…何か怒られるようなことしたっけかなァ…〟と思いつつ母の顔をみていた。

すると母はいきなり「あんたたちはねぇ、毒入りカレー事件の女と同じだよ」と言ったので私と姉は「ええっ」と同時に叫んで目は丸くなり肩は上がった。いきなり毒入りカレー事件の容疑者《ようぎしゃ》と同じだなんて言われたら、いくら私と姉が呑気《のんき》でも飛び上がって驚くにきまっている。

私と姉は「なんで？　どうして？」とたったふたりなのにザワめいた。どう考えても私達が彼女と同じとは思えない。カレーに毒を入れた憶《おぼ》えもなければ容疑をかけられる憶えもない。他人に保険もかけていないしマージャン大会も開かない。それに彼女は結婚しているが姉は結婚してないし私は離婚した。何ひとつ、同じところなんてないと思うが母は何を思ってそんなことを言ったのか。

ザワめく私達にむかって母は「あんたたちはねぇ、ムダ遣《づか》いのしすぎだよ。あの女もムダ遣いばっかりして、とうとうあんなことになっちゃったんだよ。だからあんたたちも同じだって言ってるんだよ」とパシッと言った。

私と姉は同時に冗談《じょうだん》じゃないよと言い、カレーに毒を入れた容疑もかけられてないのに同じだと言われるなんて心外《しんがい》だと訴《うった》えた。すると母は、「毒のことはおいといて、他のことが同じだって言ってるんだよ」と言ったのでまた姉と私は「肝心《かんじん》の毒のことを脇《わき》へおくなっ」と言って断固《だんこ》として母の意見に抗議した。

この場合、毒のことが一番重要なポイントではないか。毒のことだけが合っていれば、他のすべてが違っていようが彼女と同じと言われても仕方ない。それなのに、「毒のことはおいといて」って一体毒をどこにおいとくつもりなのだ。

「違う違うぜんぜん違う」と姉と私は自分達が彼女とは同じでないことを騒ぎながら主張した。騒ぐ私達にむかって母は「同じだよっ。ももこもお姉ちゃんもムダ遣いしすぎっ。お姉ちゃんなんてお金もないのにムダ遣いするんだからもっとバカだね」と言った。

金もないのに毒入りカレー容疑の女と同じと言われた姉は「金があるだけあの女の方が立派じゃん…」と言ったので私もしょうがなく「そうかもね…」と

言った。すると母は「そうだよ。あんたたちはバカだよ。お姉ちゃんは嫁にいかないしももこは離婚だし、あの女は一応主婦だったんだからね」と言った。なんか、非常にくだらない気分になってきた。姉が「お母さんも不幸だよね。こんなバカな娘がふたりもいてさ」と言ったので私も「そうだよね。ふたりしかいない娘がそろってバカなんてさ、気の毒にね」と言うとまた姉が「どうしてやることもできないけどさ」と言って笑った。

母は「笑いごとじゃないよっ。あんたたちねぇ、いい年して親に心配かけるんじゃないよっ。ももこなんて、ちょっと本が売れるからって調子にのるんじゃない。あんたの職業なんてね、所詮《しょせん》浮き草稼業《かぎょう》なんだから、いい気になってると今にひどい目にあうよっ」と言った。

ちょっといくら母でも失礼なこと言いすぎじゃないか。私は別に調子にのってるつもりもないしいい気になってもいない。それなのにけっこうひどい目にもあった気もするが、これ以上一体どんなひどい目にあうというのか。私は怒り「浮き草稼業で悪かったねっ。どうせわたしゃ浮き草人生なんだから、あんたの老後の面倒なんてみてやんないからねっ」と言ってやった。

姉もすかさず「私もバカだからさ」と親の老後の面倒をみることを拒否《きょひ》した。母は私達にむかって「どうせあんたたちはそういう子達だよっ。あたしだってね、あんたたちになんて老後の面倒をみてもらおうなんて思っちゃいないよっ。そう思って節約して貯金してるんだからねっ」と憎らしそうにこちらを睨《にら》んで言った。

私と姉は手を叩《たた》いて喜び「よかったねー。貯金してるんだってさ。老後は面倒みなくていいってさー」と言い合った。姉は「おかあさん、ボケると余計《よけい》にお金がかかるから、ボケないように気をつけた方がいいよ」と言うと母は「うるさいねっ。あんたたちなんかに心配してもらわなくったっていいよっ」と言って去っていった。あらゆることを心配している母だから、自分のことぐらいとっくに自分で心配して気をつけているのだろう。

夕方、父ヒロシに「あのさ、私もお姉ちゃんもバカな娘だから、おかあさんは老後の面倒を私達にはみてもらわなくていいって言ってたけど、おとうさんは？」と尋《たず》ねたところ「ふーん。オレはどっちでもいいけどさ」と言った。誰《だれ》の癇《かん》にもさわらぬこの答え、マヌケなようでいてヒロシはいつも冴《さ》えている。

続けて私は「どっちでもいいんなら、まァもっと先になってから決めりゃいいけど、どっちにしろボケないように気をつけてね」と言った。するとヒロシは「オレはよォ、大丈夫だな。はじめっからボケてるから、もうこれ以上ボケねぇよ」と言ったので、私はヒロシの冴えがうなぎ昇りに良くなっているのを感じた。

ふと台所を見ると、母が通帳を見ているのでのぞいて見ると、母はジロリとこちらを見て「これはあの子のために貯金してるんだよ」と言って通帳をみせてくれた。なんと、母は孫のためにほんの少しずつ貯金していたのである。孫の名前のその通帳には十万円ぐらい貯《た》まっており、母は「あんた達がバカだから、あたしゃ心配で、あの子の将来に少しでも役に立てばと思ってこうして貯金してるんだよ」と言った。私や姉がバカ娘でヒロシがもともとボケているため、母の心配はいつまでたっても尽《つ》きないのであった。

くいしんぼう同盟の結成

ある日、新潮社の木村さんと装幀《そうてい》の祖父江《そぶえ》さんとうちのスタッフの上野さんと私の四人で本の打ち合わせがてら食事をしようということになった。

木村さんは私より三つ年上のお姉さんだ。祖父江さんは読者の皆様も御存知の方が多いかもしれないが、独特のおかし味を持ちつつ才能あふれるアイディアで次々素敵な本を作る、やはり私より三～四歳年上のお兄さんだ。

木村さんも祖父江さんもうちのスタッフの上野さんも、全員昔からの仕事友達なので食事に行っても何の緊張感もなく非常に楽しくみんなで喋《しゃべ》り続けていた。

話は、シフォンケーキのことで盛り上がっていた。祖父江さんが、この店の近所に、日本で二番目においしいと思うシフォンケーキの店があるというのだ。

木村さんもその店を知っていて、確かにあの店のシフォンケーキはおいしいと言う。

私は偶然にも、なぜか三日ぐらい前から猛烈《もうれつ》に〝おいしいシフォンケーキが食べたい〟と思っていたので、シフォンケーキの話がでたのには驚いた。

私がそのことを言うとみんな「よかったねー、さくらさん、どんどん運が良くなってるよ。ラッキー運上昇中かもね」などと言って喜び、この店を出たあとシフォンケーキを食べに行こうということになった。

食事がおわり、全員お腹《なか》いっぱいなのに、誰《だれ》も「シフォンケーキを食べにいくのはやめよう」と言わずに一直線でケーキ屋に向かっていた。向かっている途中でも、全員がこれから食べるシフォンケーキへの期待が高まっており、「うれしいよね」とか「わくわくするよね」などとそればかり言っていた。

店に着き、私達はショーケースの中のいろんな種類のケーキに目がくらんだ。全員お腹いっぱいなのに、誰もが「全種類食べたいよね」と口々に言った。

それで、違う種類のケーキをひとり二個ずつ注文することにした。それをみんなで分け合って食べれば八種類のケーキが食べられることになる。

「八種類も食べられるなんてうれしい」と言って全員手を打って喜んだ。「ひとり二個なんて多いよ」と言って止める人は誰もいない。店の人は私達が二個ずつケーキを注文したので驚き、テーブルに乗り切れないからと言ってもうひとつテーブルを持ってきてくれた。私達はテーブルが増えたことにまた喜び、「テーブルが増えて食べやすくなったね」とますますケーキへの期待が高まった。

テーブルの上にズラリとケーキが並んだ。私達はもううれしくてたまらず、「いただきまーす」と叫び、手近なところにあるケーキから次々に食べ回していった。どれを食べても全員「おいしい」と言い、みんな楽しくてニコニコし、本当にケーキを食べに来てヨカッタという話題でもちきりだった。

「みんなで食事にいこう」と言って四人で食事に出てからずっと、私達は食べ物の話しかしていなかった。ケーキ屋を出てみんなで別れたのが深夜一時ごろで、別れ際にも全員が「なんか夢のように楽しかったね」と言い合っていた。

それから数日後、またこの前のメンバーで食事に行こうということになった。今度は私のおすすめの中華屋さんに行く予定をたて、その日は朝から全員夕方になるのを楽しみにしていた。上野さんは昼食を抜いて夕飯に備《そな》えたようだ。私もそうした。

夕方、うちの事務所に集まり、少し仕事の打ち合わせをしなくてはならなかったのだが、私は「もう打ち合わせはいいから、早く行こう」と言ったら全員「そうしよう」と言って誰も止める人はいなかった。

四人でタクシーに乗り、車内でも今から行く中華屋さんの話や、先日のケーキの話などで盛り上がっていた。

中華店に着き、前菜《ぜんさい》をひと口食べたとたん全員「おいしー――っ」と叫んで大騒ぎになった。次々に出てくるものがどれもおいしく、しばらくの間「おいしい」というセリフしかきこえなかった。

フカヒレを食べた時、祖父江さんは「う」と小さく言い、もう黙《だま》りこくってしまった。あまりのおいしさに目に涙をため、食べおわったあと「…おいしいと言うことさえ、風味《ふうみ》を逃《のが》さないために言うのをやめたんですよ」と語った。

私達は、どう考えても食べ物の趣味が合うし、四人そろうと誰も止める人がいないことなどから『くいしんぼう同盟』を結成しようということになった。

普通なら、女三人の中に男がひとりで加わるというのもなんとなく違和感があるものだが、祖父江さんは全く違和感がないのだ。なんというか、祖父江さんのことはうまく説明できないが、とにかく性別を感じさせない人なのである。祖父江さんは〝祖父江さん〟というジャンルの生き物で、性別も年齢も、どこの国の人なのかも、ちょっと越えてる感じがする。だからこうして私達と一緒にまるで全員女同士のようなノリで騒いでいるが、よく考えたら不思議な存在といえる。

その件についても、本人が目の前にいるのに話題になった。「祖父江さんて、男らしくも女らしくもないよね。祖父江さんらしいとしか言いようがないよね」と私達は次々に言い、それをきいた祖父江さんは得意になって「えっへん」と言って胸を張った。

くいしんぼう同盟の発足《ほっそく》にともない、私は会員の証明書とバッジを作った。〝くいしんぼうだより〟というお知らせも配ることにした。活動の内容はといえば四人で食べに行ってレポートを書いたり、ゲストを交《まじ》えて食べに行ったり、お楽しみ企画としてクリスマスパーティーを開いたり、遠足に行くというものだ。

数日後、早速《さっそく》第一回目の遠足に行くことになった。場所は山梨のサントリーのワイン工場の見学ということで、木村さんの友達の斉藤さんという人が案内してくれることになった。斉藤さんはサントリーの会社の人である。

朝八時に出発の『あずさ』に乗る予定でみんな集まったのだが、祖父江さんが急に来られなくなってしまった。コンピューターが故障して、大変なことになっているらしい。

私達は祖父江さんが来られないことを悲しみ、残念だ残念だと言い続けていた。あまりにも残念がっている私達の様子を見て斉藤さんは「…その、祖父江さんていう方、よっぽど楽しみにしてたんですね、見学を」と言ったので、私達はくいしんぼう同盟の初めての遠足だったことを告げた。

その話をきいた斉藤さんはけっこうウケた。大人のくせにそんな会を作り、平日なのに仕事の都合をつけて遠足に行こうとしているなんて、この人達って一体…という感じであろう。そのうえよくよくきいてみたら、会員バッジや証明書まで持っていて、変な便りも発行されているなんて、かなり本格的にふざけている。

しかし斉藤さんは我がくいしんぼう同盟の気持ちをすぐにわかってくれて、祖父江さんが来られないことも一緒に残念がってくれた。

そぶえさんっ
おみやげっ
はい
ありがとう
ありがとう
コレも
この人
たちって…
でもちょっと
感動…
サントリーの
さいとうさん

遠足はとても楽しかった。工場の見学をしたり、ワインのテイスティングをしたり、キノコ狩りをしたりバーベキューを食べたり、みんなでワイワイ喋りながら時間が過ぎていった。

帰りの列車の中でも「今日は楽しかったね。でも、祖父江さんがね…」とみんなでまだ残念がっていた。

列車を降《お》りると、駅の構内でなんと祖父江さんが待っていた。私達は驚き「祖父江さんっ」と叫んで全員で駆け寄った。祖父江さんは「初めての遠足だったのに行かれなくなっちゃったから、せめてみんなのお迎えに来たんだよ〰〰」と言うので私達も「祖父江さんが来られなくて残念だったよ〰〰」と言い、「でも今会えてよかった」と全員集合を喜んだ。

そして私達はそれぞれの袋の中からキノコやワインなどを取り出し、遠足のおみやげを祖父江さんに渡した。祖父江さんは「ありがとう。ありがとう、みんな」と言って心から喜び、お礼に金魚のシールを一枚ずつくれた。

そばで様子を見ていた斉藤さんは、くいしんぼう同盟のあまりにも純粋な友情と結束《けっそく》の固さに、驚きを忘れ感動していた。朝からくいしんぼう同盟の話はきかされていたものの、実際に四人そろったところを見て初めてどういう会か本当にわかったと言った。

私達は斉藤さんがわかってくれたことを喜び、「今度は斉藤さんもゲストに招《まね》いて何か食べに行こう」と全員で言い合った。

台湾台風ふたたび

昨年秋、さくらプロダクションではふたつに分かれて社員旅行をすることになった。

行き先は、台湾《たいわん》かホンコン。このどちらか好きなほうを各自選んで行くのだ。みんな、どっちにしようか悩んだ。

私は台湾に決めた。過去一度台湾へ行った時、私は自分の不注意により食中毒になり、死にかけて入院し、そのうえ台風が来たためほとんど楽しめなかったのだ。だからもう一度行きたい。

社員旅行の話をきいて父ヒロシも「オレも連れてってくれ」と頼むので仕方なく連れてゆくことにした。ヒロシは「行けるんならどこでもいい。台湾でもホンコンでもどっちでもいいから行きたい」と言っていたが、他のスタッフに面倒《めんどう》をみてもらうのも悪いので、私と一緒に台湾に行くことに決めた。

ほぼ日程《にってい》も煮詰まった頃《ころ》、くいしんぼう同盟の食事会があり、雑談がてら社員旅行の話をすると、新潮社の木村さんは「台湾⁉ いいなー。実は私、ずーっと台湾に行きたいと思っていたんだけど、友達とのスケジュールも合わなかったりして、一人で行くのもつまらないから行けないままでいるんだ。あ〜〜〜、さくらプロダクションの人達はいいな〜〜〜っ」と、あまりにもうらやましがるので気の毒になり「もし都合がよければ、木村さんも来る？」と軽く誘《さそ》ってみたところ、木村さんは「えぇっホントにいいのっ⁉」と叫んで半分腰を上げて身を乗り出し、またたく間にスケジュール帳を開いてスケジュールを確認し、「行けるっ‼」と力強く言った。

木村さんは仕事を休むつもりなのだ。さくらプロダクションの社員旅行のために。大丈夫なのかよ新潮社、と思ったが、このまえの遠足の時も木村さんは仕事を休んでいたし、とにかく木村さんが大丈夫だと言っているからには大丈夫なのだろう。上野さんも台湾チームのメンバーなので、また祖父江さんだけ行けないことになった。まァ本来なら、これはさくらプロダクションの社員旅行なので、くいしんぼう同盟は関係ないのだ。うちの社員でもないのに今この場で急に参加することになった木村さんがどうかしているのである。

でも、木村さんは誰《だれ》よりも台湾行きを喜んでいた。そして「台湾に行ったらお茶を買ってマッサージもしてもらって……」と誰よりも夢がふくらんでいた。こんなに喜んでもらえるのなら、誘ってホントによかったと思う。

出発当日、私はヒロシと一緒に空港へ行った。思いがけずかなり早く着いてしまい、私はヒロシとふたりきりで何もすることがなくムダに時間をやり過ごしていた。会話といえばヒロシが「みんな遅いな」と言い、私が「だって早く着いたんだからさ」と言うのを何度か繰《く》り返しただけであった。

定刻通り、みんなやって来た。木村さんもすっかりさくらプロダクションの一員となり、妙に馴《な》じんでいるのがおかしかった。

飛行機に乗り約三時間余りで台湾に着いた。空港で、張《チョウ》さんという女性のガイドさんが待っていて下さり、明るい笑顔で歓迎してくれた。空港の外にはマイクロバスが待機しており、私達はそれに乗ってホテルに向かった。

張さんは日本語がとても上手《じょうず》で、私の本も読んでいるらしく「先生、今回は中毒にならないように気をつけて下さい」とよく御存知で、父ヒロシを見て「ヒロシさん、ようこそ」と言い、次に「今、台湾に台風が近づいています」と言ったので私は「えっ、また!?」と前回の台湾台風の記憶がチラリと脳裏《のうり》をよぎった。

言われてみればバスの外の空はどんより曇《くも》り、なんとなく台風が近づいている気がする。張さんによれば、今現在台風は、フィリピンに行くか台湾に行くか迷っているらしく、明日にならなければ本当に来るかどうかハッキリとしたことはわからないそうだ。

もちろん全員、台湾に台風が来ないことを祈った。ホテルに着いてからも、私はヒロシと一緒の部屋だったのでふたりで台風の話をしていた。他に話すこともなかったので、顔を見るたびに「台風来るかな」「わかんねぇな」という会話をくり返していた。

夕食後、みんなで夜市《よいち》に行き屋台《やたい》の夜店を見て歩いた。まる子のニセモノ商品も出ていたのでみんな爆笑《ばくしょう》して買ったりした。屋台の電球の下でフルーツゼリーがおいしそうに輝いているのを見ていると張さんが「先生、アレを買って食べちゃいけませんよ」と私に中毒への警告をした。また、かわいい子犬がった四百円ぐらいで売られているのを見ていたら張さんが「先生、犬を買っても持って帰れませんよ」と先に釘《くぎ》をさした。

そのあとヒロシだけホテルに戻り、私達は台湾式マッサージを受けに行った。台湾式のマッサージは、筋《すじ》を中心に力強くほぐしてゆく感じで、わりかし痛い。同じ部屋でマッサージを受けていた木村さんも時々「う…」と痛そうな声を発していた。足ツボマッサージをしてもらっている時、木村さんはますます

先生っ イヌはダメですよ
持って帰れませんからね
…わかっているよ。やだなァもう。
アハハ…
ギクッ
台湾「夜市」にて

痛がり、何度も苦しそうなうめき声がきこえた。幸《さいわ》いなことに私は足ツボマッサージをしてもらっても別に痛くなかったので、マッサージ師の人に「あなた、痛くないの？　じゃ健康なんですよ」と言われたが、それでは木村さんはどこか悪いんだろうか。

マッサージを終えてから、木村さんはまだ足ツボが痛かったと言い、加えてどこか悪いのかも、と自分でも言っていた。他のスタッフも皆、足ツボは痛かったと語り、「さくら先生が痛くなかったのはいつも健康に気をつけているからだ」と、一躍《いちやく》私の健康研究が脚光《きゃっこう》を浴《あ》びた。皆、自分の足の痛みを反省し、これを機会に私のように健康を研究するがよい。もちろん木村さんもだ。

深夜、木村さんが私の部屋にやってきて、ヒロシが寝ているにもかかわらずルームサービスをとろうということになった。くいしんぼう同盟のメンバーとしては、一応ホテルのルームサービスもおさえておくべきだという話になったのだ。上野さんも呼んでこようかと一瞬ふたりとも思ったのだが、もう疲れて寝ているのにわざわざ起こして巻き込むほどのことでもないと同時に思い、やめた。

私と木村さんは、ルームサービスをとりすぎた。チャーハンとラーメンとヤキソバをとり、大量に余った。いくら止める人がいないからと言っても、ふたりなのに三人前もとれば余るに決まっている。なのに、その辺の判断のツメが甘いところがくいしんぼう同盟の憎めないところなのだ。余ってもいいから食べてみたかったのである。ふたりとも、気が済んでヨカッタと言い合った。とりすぎたうえにあまりおいしくなかったが、気が済んだから良いのだ。木村さんは足ツボでは痛がったけれど、くいしんぼうなので安心だ。きっとだいたい健康なのだろう。明け方近くなり、木村さんは自分の部屋に帰っていった。

翌日、私とヒロシは朝から台風の話をしていた。天気予報を見ても、結局来るのか来ないのかわからなかったので、「来るのかなァ」「さぁ、わかんねぇな」という繰り返しで集合時間までやり過ごした。

全員ロビーに集合し、これから故宮《こきゅう》博物院へ行くためにマイクロバスに乗った。張さんは「故宮博物院は全部の物をじっくり見るためには何年もかかるほどいっぱいあります。できる限りたくさん見るために、今日は一日中博物館を見学しますか?」と言ったが皆、博物館は一時間ぐらいでいいからおいしい物を食べに行ったり買い物に行きたい、と言ったのでそうすることになった。参加者の中に一人も勉強熱心な人がいなくて本当によかった。全員気楽などうでもいいことばっかり好きなのだ。張さんは少しガッカリしていた。でも、全員がそうしたいと言っているのだから仕方ない。

故宮博物院は混んでいた。我々は混んでいる場所は辛《つら》いからもっと見学時間を短縮《たんしゅく》しようと言い出し、三十分でバスに戻ることにした。たった三十分でも、色々な小さい小さい細工《さいく》を見て感動を得た。小さい物を完成させるまでに親子三代かけたりしているのだ。そんなことをした人達がいるということだけでも感動する。

短時間に集中して感動を得た私達はお腹《なか》がペコペコになり、評判の良い飲茶《ヤムチャ》屋さんに直行した。ギョーザ類も饅頭《まんじゆう》類もメン類もどれもおいしくて次々食べた。

店の近くに甘栗《あまぐり》屋の屋台があり、木村さんがいつの間《ま》にか私のためにそこの屋台で甘栗を買っておいてくれた。私が、人一倍甘栗が好きなのを彼女は知っているからである。私自身、自分がそれほど甘栗好きなほうだと今までの人生の中で思ったことはなかったのだが、つい数日前、くいしんぼう同盟の人達と喋《しやべ》っているとき、私が「甘栗を年間十回以上は買っている」と発言したところ、全員驚き「さくらさん、それは相当甘栗が好きなほうですよ」と口々に言い出した。考えてみれば、そんなにちょくちょく甘栗を買うという人の話をきいたこともないし、誰かにプレゼントされることもない。年間十回以上自分で甘栗を買っているなんて、かなり好きなほうだと言えるかもしれない。子供の頃は甘栗を腹一杯食べたいものだと切望《せつぼう》していた記憶もあるし、大人になってその夢を叶《かな》えて腹一杯食べたりもしている。そうか、私は相当甘栗好きだったのだ、ということをこのまえ話したので木村さんは買っておいてくれたのだ。

バスの中で、木村さんは甘栗をみんなに配り、「台湾の甘栗ってどんな味だろうねー」と言って食べたところ、それがすっっっごくおいしかった。この甘栗通《つう》の私が言うのだから間違いない。今まで日本国内で食べてきた甘栗には無かったおいしさがある。私は、ショックを受けた。ノックアウトとも言えるそのおいしさは今回の旅行のクライマックス的な要素があるほど重要だ。

読者の皆様は「なんだなんだ、またももこが甘栗ぐらいのことで大騒ぎして。こいつ、いつもそうなんだよな。いちいちどうでもいいことで大げさに感激したりするんだ」と思っているかもしれないが、「ああ……」と私は皆様にこの甘栗のおいしさを、一人一人の舌の上で再現してあげられないことを本当に残念に思いため息をついてしまう。よっぽど甘栗が嫌いだと言う人を除き、これを体験すれば皆、私の言う感動の正確さがわかるであろう。

当然、バスの中は全員感動していた。「こんなにおいしい甘栗があったなんて…」という声が続々と車内を揺るがせた。ヒロシでさえ「ん、こりゃうめぇな」と思わず言った。木村さんのお手柄《てがら》である。うちの社員でもないのにこんなに貢献《こうけん》してくれるなんて、日頃新潮社でもきっとすこぶる役に立っているに違いない。そんなすこぶる付きの役立ち社員が我がさくらプロダクションの社員旅行にいてくれるなんて、珍奇《ちんき》な幸運に改めて感謝したい。

そのあと、我々は〝玉市《たまいち》〟に行った。玉市には色々なビーズ玉やその他石で作られた小物が売られているというので、アクセサリー作りが趣味の私はワクワクしていた。

バスが市場に着いた。市場の中にはズラリと店が出ていて、キラキラ光るきれいな石の玉や小物がいっぱいあふれていた。私はキャーと心の中で叫び、夢中で店を見て回った。そして気に入った小物を次々に買っていった。

そのころヒロシは、玉市の隣で開かれていた花市を見ていたらしい。ヒロシは玉にも花にも特に興味はないのだが、玉よりもまだ花の方が少し興味があったらしく、ひとりで草花を見ていたようだ。ヒロシは花市を見てきた後「南国の植物があったぞ」という感想を語っていたが、台湾に南国の植物があるのは当たり前といえよう。

その日の晩もまた私と木村さんはマッサージに行った。雨風がけっこう強くなってきており、台風が近づいているかも知れないと思ったが、私も木村さんも詳《くわ》しいことはわからないのでただ「強くなってきたね」とだけ言い合った。

翌朝、またヒロシと私は台風の話をしていた。ヒロシは「なんかよォ、さっき天気予報の天気図をみてたらよォ、台風のやつな、フィリピンの方へ行っちまったみてえだったぞ」と言うので私は「ホント⁉ おとうさん、天気予報をみたってわからないくせに適当なことを言うんじゃないよ」と言ったのだが、ヒロシはどうしても台風のやつがフィリピンに行ったから台湾は救《たす》かったのだと言い張っている。そんなことを話しているうちに集合時間になり、私達はロビーへ集合した。

今日は台湾のおみやげ屋とデパートへ行って、夜は立派な台湾料理店で食事するという予定である。たのしみな予定だ。面倒臭い用事がひとつもない。我々は張さんに連れられて〝信用できるおみやげ売り場〟という場所に行った。ここならインチキ商品やボラれたりする心配がないと張さんは言っていたので安心である。

買い物に全く興味がなさそうなヒロシを見て張さんは、「おとうさん、一緒にお寺の見学に行きましょう」と誘ってくれていた。張さんは本当によく気が利《き》くやさしいガイドさんなのだ。ヒロシはすぐに張さんに連れていってもらうことにし、売り場から去った。

私は、おみやげ品を買うのが大好きなのではりきって店内を回っていた。しょうもない人形や民芸品を集めているため、どうでもいいような小物を真剣に手にとり吟味《ぎんみ》し、物色《ぶっしょく》しまくっていた。

そんな時、店の人に「あ、ちびまる子ちゃんの先生だ」と言われ、店員の若い女性達からサインを求められ、皆で記念撮影をすることにまでなってしまった。今日私がここに買いに来ることを店の人達は知っていたのである。

私はあまりそういうのに慣れていないため恥ずかしいやら緊張《きんちょう》するやらで内心あわてたが、どうにかサインも写真も笑顔でこたえ、みんな喜んで下さったのでホッとした。が、そのあと店の人達から「先生なら、ちょっといい物を買った方が良い」と言われ、指輪とかネックレスのコーナーでいい物をすすめられてしまい、なんとなく引くに引けない状況《じょうきょう》になった。

別に、「いらない」と断わればそれで済むのだが、「ちびまる子ちゃんの先生ならこのネックレスがピッタリです」とすすめられているのに、わたしゃそんなの別にいいよなんて言えない気がした。ちびまる子ちゃんの先生がケチだったなんて、せっかくこんなに喜んですすめてくれている台湾の皆さんをガッカリさせちゃいけない。

そう思い「よし、それ買った」と言うと、店の人達はますます喜び、「ちびまる子ちゃんの先生はさすがにいい物を買う」と言ってみんなにほめられた。私はうれしかった。ケチケチしないでポンッと買うことにして本当によかった。このネックレスはランポウ石という石で、台湾の一部でほんの少ししか採《と》れない石なのだそうだ。すごくきれいな青色で今後コレを見るたびにこの楽しい台湾旅行のことを思い出すことになるんだろうな、と思った。ヒロシを連れて戻ってきた張さんも私が買ったネックレスをみて「あ、先生いいのを買いましたね。それ、宝物にして大事にして下さいね」と言ったので私も「うん。大事にするよ」と言った。

その晩、私達は立派な台湾料理店へ行って立派な物を食べた。でも、ナマコが原形のまま出てきたときには私はひるみ、おののいた。いくらそれが立派な物でも、気持ち悪い。

私が食べられないのを見て店の人は「ひっくり返せば大丈夫」と言ったが、

ひっくり返したからって大丈夫なわけないじゃないか。ナマコがひっくり返っただけのものがどうして大丈夫なものか。気持ち悪さに変わりはない。

他の者達は皆とりあえず食べている。そして「見た目よりはおいしい」と言っている。でも私はイヤだった。見た目よりおいしいのかもしれないが、どうしてもこの見た目が気になるのだ。もうちょっと原形がわからないように料理してほしい。

ナマコをほとんど丸ごと残し、料理店を去った。雨風が強くなっており、今朝《けさ》のヒロシの台風情報がハズレていることを感じさせた。明日、我々は日本へ帰るというのに、飛行機は飛ぶのだろうか。

翌朝、雨は小降りになっていた。私とヒロシはまた台風のことばかり話していた。ヒロシは「やっぱ、台風のやつはもうフィリピンに行ってるぞ。昨日からフィリピンに行ったから、そろそろインドかもな」などと台風が観光旅行でもしてるのかと思うようなことを言っていた。

空港に行く途中で昼食を食べに行き、また途中でおみやげ用の甘栗を買ったりして出発まで台湾を満喫《まんきつ》した。

張さんと別れるのが寂《さび》しかったが、全員「また来るね」と言って握手《あくしゅ》をし、笑顔で別れた。

家に戻ると息子はもう寝ていて、母だけが起きていた。私が母におみやげの甘栗を渡すと、母は驚き「なんで甘栗なんてわざわざ買ってきたの」と言ったが黙《だま》って食べろと言って押しつけた。

私は甘栗を三キロも買ってきたのだ。他のどのおみやげよりも多く重い。しかも、さっさと食べてしまわなくてはならない。だからその晩から早速《さっそく》、私はせっせと甘栗を食べ続けた。子供の頃、「腹一杯甘栗が食べたいなァ」と思っていた夢が、また叶いたい放題《ほうだい》叶った。

次の日、私とヒロシはTVのニュースで台湾に台風がやっと上陸したという情報をきいた。台風は、フィリピンにもインドにも行かず、ずっとぐずぐずしていたのだ。だから毎日台湾はぐずぐずと雨が降り風が吹いていたのだ。

家に戻ってもまだ、私とヒロシの会話は台風のことでもちきりであった。こんなに何日間にもわたり、会話の内容が台風のことだけというのもいくら相手がヒロシとはいえ珍《めずら》しいことであった。

健康の研究

私が健康のことを独自に研究し始めてからかれこれもう五年位になる。今ではもうすっかり友人の間でも私の健康研究は定着し、友人に会うたびに「最近は何か新しい健康法をやってるの?」と、あいさつがわりにきかれるほどになった。

しかし、あいさつがわりにきかれても、ちょいと答えられるほど私の研究は簡単なものではない。もし、本気できく気があるのなら、少なくとも五時間は私の話をきくための時間をとり、メモ帳を用意し、途中二回はトイレに行くことも踏まえたうえでの個室を準備すべきであろう。そのくらい、私の健康の研究は奥が深く真剣《しんけん》なのである。

最近は、ポリフェノールが健康界出身のエースとして活躍した。健康界から一般界に広まったスターとしては、お茶のカテキン以来の大物といえる。

ポリフェノールは赤ワインに多く含まれているといわれたため、赤ワインがブームになったりしていたが、私個人としてもポリフェノールの活躍は無視できないものと考え、取り入れることにした。なにしろ、ポリフェノールは血をキレイにし若さを保つなど、良さそうな効用がいっぱいあるというのだから、ボサッとして見逃《みのが》している場合ではない。

それで赤ワインを折にふれては飲むことにした。外食に行っても飲み、友人が遊びに来ても飲み、とうとう一人で家に居《い》る時にも飲むようになった。

なんか調子がいい日々が続いた。ふんふんと鼻先からは鼻歌が流れ、普段にも増して陽気になった。血行《けっこう》が良くなっている感じを全身で覚え、夜中に友人に電話をかけたりしてもやけにふざけた会話になったりしていた。日常のメートルが明らかに上がっている。これはポリフェノールの働き以外に、アルコールの働きが活発なせいだろうとすぐに気づいたがそのまましばらく続けてみることにした。

健康雑誌に『自分でワインを造《つく》ろう』という記事が載《の》っていたので早速《さっそく》ぶどうを買ってきて、自分でワインを造り始めた。友人から「あんた、ワインを自分で造ったりしたら、密造《みつぞう》じゃん。お酒の密造は捕まるよっ」と言われたのであわてて弁護士の先生に電話をし「健康のためにワインを造ってるんですけど、逮捕《たいほ》されるでしょうか」ときいたところ、自分で飲むだけなら平気だと言われ安心した。自家製のワインなんてアルコール度も低いし別に売るわけでもないのだから大丈夫だということだった。そもそも、雑誌に造り方が載っていたのだし、自家製ビールを造るのも流行《はや》っているもんな、と思い、私は出来上がったワインのラベルまで手描きで作り、ビンを並べて部屋に飾って喜んだりした。

私がワインを飲み始めているという話をきいた知人から、高いワインをプレゼントされることも多くなった。たまたま応募《おうぼ》した抽選《ちゅうせん》でもワインが当たったり、なんやかんやとどんどんワインが増えていったので、とうとう小さいワインセラーを買うことにした。母はワインセラーを見て驚き、「なんだってアンタ、いつのまにこんなにワインを貯《た》めこんでいたんだね。どういうつもりでこんなことに…」と言って情《なさけ》なさそうにうつむいていたが、これもポリフェノールのため、更《さら》にわかりやすく言えば健康のためといえる。

なので、私がワインに凝《こ》ってこんな有様《ありさま》になったものの、一般に言うワイン通《つう》の人達のようなややこしい知識は一切ない。私は、ポリフェノール摂取《せっしゅ》のために飲んでいるのだ。だからせっかく高いワインをもらっても、感想はポリフェノールを摂取したなァということのみで、それがどこの国の何年のもので深い味だか豊かな匂《にお》いだか、そういうことはほとんどわからない。注意することといえば、チェルノブイリ事故が起こった年に近いヨーロッパのものは避けているという点だ。これは健康を考えてワインを飲む者としては重要なことなのである。

このように、ポリフェノールひとつとっても私の健康に関する独自の研究は深いのだ。とてもちょいと説明できるものではない。

赤ワインは、三カ月間ぐらい毎日飲んでいたが、酔って仕事がはかどらないという理由で毎日飲むのはやめた。今は、週に一～二回飲む程度に抑《おさ》えている。仕事や生活のバランスを考え、コントロールしながら健康の研究をすすめることも大切なのである。

昨年はポリフェノールの他に、ナットウキナーゼにも注目し、どうしても食べられなかった納豆《なっとう》を食べられるようになったことも私にとっては重大なことだった。納豆には、ナットウキナーゼという、血液をサラサラにする成分が含まれているのだ。ナットウキナーゼではない、ナントカキナーゼは、一回摂取するために二十万円もかかるというのに、ナットウキナーゼなら同じような役割を百グラムの納豆を食べるだけで済むという記事を読み、食べる決心をしたのである。

もう食べたくないとか嫌いだなんて文句を言っている場合ではない。それまでの人生で、私がいかに納豆を苦手とし、それを口に運ぶなどという行為を決してとらなかったかということは自分自身が一番よく知っていた。これから先の人生でも、納豆とは縁《えん》のない関係で終わるだろうなと思っていた。死んでからも孫などに「お婆《ばあ》ちゃんは、納豆が苦手だったんだよな。だから仏壇には納豆は置かないようにしよう」と配慮《はいりょ》してもらったりするかもな、とすら思っていた。

そんな私がまさか納豆を食べるなんて、これには自分がひどく驚いた。スーパーに行き、自分のために納豆パックを手に取っているこの姿。レジで自分のための納豆に対する支払いをしている行為。ナットウキナーゼという成分が、こんなにも人間一人を動かす力があるのかと、百グラムの納豆の重さを改めて考えざるを得ない状況《じょうきょう》の連続だ。

食べるにあたり、私は納豆の中に刻《きざ》んだシソの葉を五枚入れた。それをゴマドレッシングであえ、少しマヨネーズを加え、長方形に切ったノリで包み口へ運んだ。

二秒ぐらい、「う…」と心が叫んだが、三秒後にはシソの葉やゴマやマヨネーズやノリなどの味覚的味方陣《じん》が総力をあげて私を助け、一パック食べることに成功した。

久しぶりに快《こころよ》い達成感《たっせいかん》があった。離婚成立に近い線の喜びを感じた。胃に送りこまれた納豆は、これからナットウキナーゼに分解され血液を浄化《じょうか》するために働くのだと思うと〃血液バンザイ、きれいになっておめでとう〃などと血管にむかって叫びたくなるほどうれしいじゃないか。納豆は、健康界の新福さんだ。有難《ありがた》くおめでたいものとして、表彰《ひょうしょう》するに値《あたい》すべき存在だ。

そのぐらい、私の納豆への評価は上がった。人生で無縁と思われていたものから、新福さんと同格へと一気に到達したものなんてこれまで無い。SPEEDがデビューしてスターに登りつめるまでよりも短時間だった。その後の納豆の活躍は、SPEEDと同じく目を見はるものがあった。わずか三回目のチャ

マヨネーズ
ごまドレッシング
しそ（きざむ）
なっとう
まぜる
それを ノリで まいて たべる
おいしい。やっぱり料理は工夫が肝心だ。
おうっ
ミスター味っ子の精神。

レンジで納豆を私の〝好物〟とまで言わしめる実力を発揮し、味覚・健康共に私自身を制覇《せいは》していった。今では、なんで最近まで納豆が嫌いだったのか、それすら思い出せない域《いき》に到達《とうたつ》している。私の人生の中で、果たして本当にアレが嫌いな時期があったのだろうか。人にきいて教えてもらえるものなら教えてもらいたい。なぜ私は今まで納豆が嫌いだったのかと。

ポリフェノールとナットウキナーゼを摂取し始めた私の健康状態は、一見今《いっけん》までと何も変わったことがないように思われたが、今年の冬、その本領を発揮《はっき》した。

インフルエンザを三時間で治《なお》したのである。去年インフルエンザにかかった時は治すのにひと晩かかった。ひと晩で治したこともなかなかの快挙《かいきょ》であり、当時スタッフの間では「さくら先生がカゼをひと晩で治した」と評判になったものだ。やはり日頃《ひごろ》の健康に対する情熱が、カゼ菌《きん》をひと晩で全滅《ぜんめつ》させたのだと、皆感心しまくった。

それ以上の快挙はもうないだろうと誰もが思っていた。私自身も、ひと晩以上のスピード治療《ちりよう》はいくらなんでもムリだろうと思っていた。昨年ひと晩で治したことも、現実だったのだろうか、ひょっとしたら何かの間違いだったのかも知れない。なんとなくそのような弱気になり、ひと晩で治したことが伝説と化《か》しそうになっていたある日、息子のインフルエンザが私に感染し、再びスピード治療を試すチャンスがおとずれたのである。

急な悪寒《おかん》と頭痛と全身の節《ふし》の痛みに襲われた私の体温は三十八度になっていた。明らかにインフルエンザの症状である。身体的には辛《つら》い状況だがここで心までつられて弱くなってはいけない。今こそ昨年の記録を塗りかえるために全力を治療に注《そそ》ぐのだ。

私は事務所のスタッフに電話をかけた。このカゼ退治の情熱を社員に宣言するためだ。「今からインフルエンザを治す。集中して治すから、うちに電話をかけないように」そう言って電話を切った。時刻は昼二時すぎだった。まだ全然眠くない時間だが、寝なくてはならない。

カゼ薬を飲み、プロポリスを飲み、ニンニクのはちみつ漬けを食べ、しょうが湯を飲み布団《ふとん》にもぐった。すぐに汗がでてきて止まらなくなってきた。眠れないから目をあけていたのだが、汗が目に入りあけていられなくなったのでつむった。

目をつむると、汗が全身をくまなく流れてゆく感覚がより一層感じられ、体内でインフルエンザ菌がどんどんやっつけられてゆくイメージがリアルに思い浮かんでいた。布団の中でジッとしているこの姿には何の激しさも見い出すことはできないが、体内の成分はど根性《こんじょう》で菌と戦っているのだ。静かなる熱き戦い、ふとそんな古い映画のタイトルみたいな言葉が浮かんで消えた。時計を見ると五時近くになっていた。

ゆっくり体を起こすと、カゼが治っていた。サウナから出た時のような心地《ここち》よい脱力感《だつりょくかん》とさわやかさに包まれている。カゼ菌が体内に残っている気配《けはい》はない。

やった。昨年の記録を塗り替えたのだ。日頃の地道な努力が実を結び、体内の成分の実力は大幅にアップした。精神面での気合いも昨年より強く入っていた点と、カゼ菌をやっつけるイメージが正確に描《えが》けた点も、今回の新記録に大いに貢献《こうけん》したと思われる。

私が三時間でカゼを治したことは、スタッフの間で昨年以上の評判になった。「今からカゼを治すから」と宣言して治したというエピソードも併《あわ》せて評判になった。うちの両親と息子など、私がカゼをひいたことすら気づかなかった。彼らは午前中にウロウロしていた私が、夕方になってもまだウロウロといつも通り家の中に居るだけだと思っているのだろう。まさかカゼをひいてそれを治したうえでウロウロしているなんて、そんな一周回った苦労をしたんじゃないかなどと彼らが私のためにわざわざ思ってくれるはずはない。

それで私は父ヒロシに自分から話しかけた。「おとうさん、あのさ、私ね、さっきカゼをひいたけど、三時間で治したんだよ」そう告げるとヒロシは「ふーん、よかったな」と言った。

ヒロシの返事に私が満足しなかったのは当然である。いくら父ヒロシでも、カゼをたったの三時間で治したという娘の発言にはもう少しビックリしてくれてもいいじゃないか。

私は更にしつこく「カゼだよ、三時間だよ、インフルエンザをだよ、治せる？　あんた、ちょっとよく考えてよ。三時間てさ、けっこうビックリしない？」とヒロシにビックリを要求した。ヒロシは仕方なさそうに「ああ、そうだな。ビックリしたな」とたどたどしく要求に応《こた》えた。その晩、友人の山口さんが遊びに来たので「さっきカゼをひいたけど、三時間で治したんだ」と言ったが彼女は私の発言の重さに気づかず、「ああそう、治ってよかったね」とヒロシ的な返事をした。

意外と、カゼを三時間で治したなんて、別にたいした事じゃないのかもしれないな…なんて弱く思った。ヒロシといい山口さんといい、カゼとか菌とか情熱とか短時間とか、そういうことに少しうといのかもしれないが、こんなこと少しうといぐらいのほうがいいのかもしれない。事務所のスタッフ達がビックリしてくれただけでも充分だ。何も私は人を驚かすのが目的で健康を研究しているのではないのだから、これ以上カゼのことで人にビックリしてもらいたいなどと思うのはやめることにした。

そんな私が今一番力を入れて研究していることが〝快適な寝相《ねぞう》〟だ。人は、結局どんなポーズで眠ることが一番快適なのか。これを考え始めると、眠れなくなる。

寝相の研究

さて、前の章で私は寝相《ねぞう》の研究をしていると書いたが、それは具体的に一体どういうことをしているのかという報告をしてみようと思う。

眠ることなど、ただ寝ころんで目をつむればいいのだから、いちいち寝相の研究などをするのはおよそ馬鹿《ばか》げていると思われる方も多いかもしれない。私自身、以前はそうだった。〝寝るより楽《らく》はなかりけり〟という諺《ことわざ》だか名文句だか知らぬが、そんな言葉に「うん、それは確かだ。寝るより楽はない」などと深く共感し、眠る事を単純で一番楽な行為と信じ、何も考えずに長い年月ただ眠っていた。

しかし、数年前からただ眠るだけだと少し疲れる事に気がつき始めたのである。休むために眠ったはずなのに、起きた後、なんとなく首筋《くびすじ》が痛くなっていたり、腰痛《ようつう》になっていたり、腕の筋肉が痛くなっていたり、どうも変なのだ。
それで、私はだんだん考えるようになってきた。この体の各部所の疲れは、寝る時に負担《ふたん》になっているに違いないと思ったのだ。
まず首だが、あお向けに寝た場合、明らかに頭と肩との間にあるこの首の下に空間ができている。ここを支えてあげなければ首も肩も頭も、みんなに負担がかかる。（一三九ページ、図の①参照）
腰も同様だ。背中と尻《しり》の間にあるこの腰の空間は、腰も尻も背中もみんなに負担をかけている。支えるものが必要だ。（図の②参照）
それで首の下と腰の下に、バスタオルなどを入れて空間を埋めて支えにしてみたところ思ったとおり、首周辺と腰周辺の負担は減った。やはり、浮いている部分が体に負担をかけていたのだ。これで安心して眠れる。
と思ったのだが、三分もたたないうちに今度は首の下や腰の下のバスタオルが少し支えすぎているんじゃないかとか、逆に支えきれてないんじゃないか等《など》と気になりだし、ゴソゴソと何度もバスタオルの高さの調節をすることになった。これがなかなか難《むずか》しいのである。首の下も腰の下も、ぴったりフィットするようにバスタオルの高さを合わせようとすればするほど微妙なズレまで気になりだし、それの調節だけで軽く一～二時間過ぎてしまう。

やっと気に入った高さに調節できたとしても、ちょっと動くとズレたりして、気になって眠れない。快《こころよ》い眠りを追求しているはずなのに、これは非常にくだらない状態だ。何か他にもっといい手を考えた方がよい。

そう思い、私は色々考えていた。起きたあとにも体に良い影響を与えるような良い睡眠《すいみん》をとるためには、とにかく体のどこにも負担をかけないような寝方をするのがいいのだ。それを思うたびに、私は真剣に〝無重力ベッドがあればなァ…〟と、宇宙開発センターにそれの発明を願った。NASAでも誰《だれ》でもいいから、無重力ベッドを発明し、手頃《てごろ》な値段で売り出してくれたら人類はどんなに救われるだろう。このさい、宇宙がどうのこうのなんて言うより先に、も

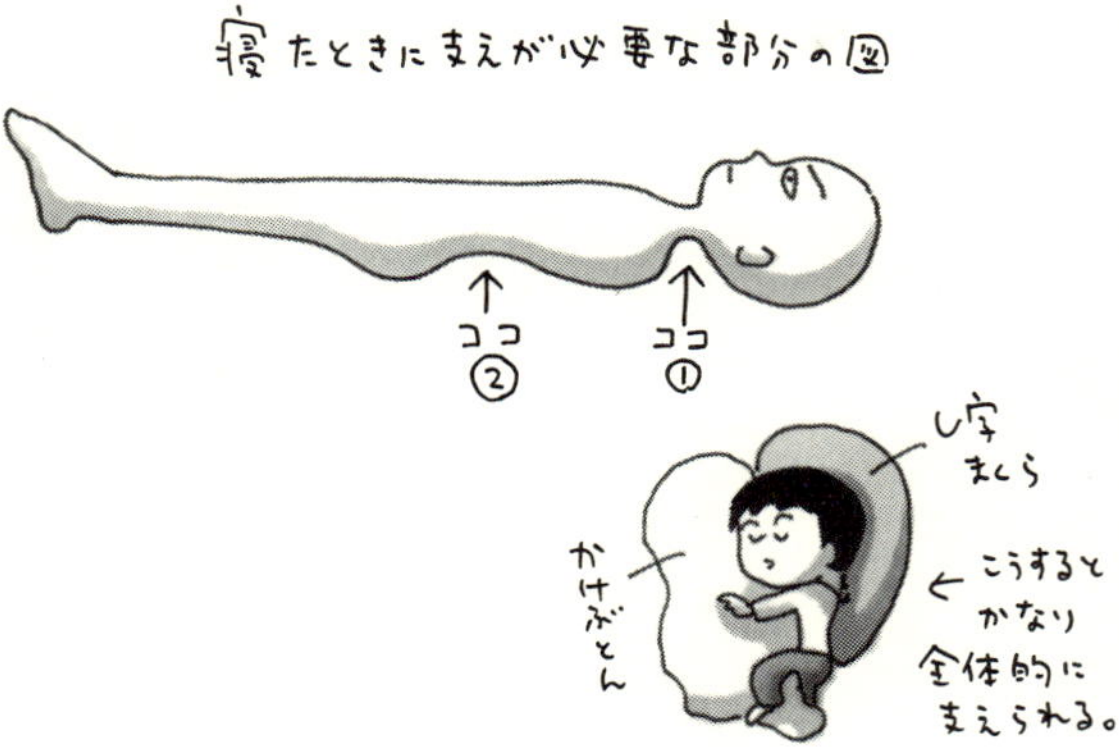
寝たときに支えが必要な部分の図
ココ
②
ココ
①
L字
まくら
かけぶとん
こうすると
かなり
全体的に
支えられる。

っと地に足のついた、人類の目先の日常に役に立つ研究をすべきではないのか。

ウォーターベッドも使ってみた。あれは悪くはないが、無重力にはまだ程遠《ほどとお》い。体のどこもかしこも負担のないようにするためには、もっと自分なりに工《く》夫《ふう》をするしかない。

それで抱《だ》き枕《まくら》を買い、それを抱き込んで寝る事にしてみた。すると意外と楽だった。横向きの体をしっかり枕が支えてくれる。これかもな、と思いしばらくの間はそれでけっこう満足していた。

ところがすぐに物足りなくなった。抱き枕を抱き込んでいる側は支えられていても、後《うしろ》の首から背中側は支えられていないのが気になり始めたのである。それに、寝返りをうったりしたらいよいよ何も支えがない方に転がってしまう。

どう考えても背中側にも支えが必要だ。背中だけでなく、後頭部から首後《くびうしろ》まで支えられるような物が欲しい。

そんな私の自分勝手な欲望に合った物など無いだろうなァと思っていたある

日、U字枕という物を見つけた。そのU字枕は全長百六十センチぐらいで、枕の中身は綿《わた》ではなくザラザラの合成樹脂の粒みたいなのが入っており、瞬時に体にフィットするような仕組みになっているではないか。

その時、私は買い物帰りで両手にいっぱい荷物を持っていたが、即座にそれを買った。家に着くまで、大きな枕と荷物の重みで大変な試練の道を歩んだがこれも安眠のためだと思うと耐えられた。

家に着き、早速《さっそく》その枕を使って寝てみることにした。まだ全然眠る時間ではなかったがそんなことはたいした問題ではない。今大事な事は今日の睡眠をとることよりも、U字枕が今後の睡眠のために役に立つかどうか吟味《ぎんみ》することなのだ。

それで試してみたところ、かなり良いという評価に至った。U字枕の中に入っているザラザラの素材が体の各部にすぐにフィットし、首の後《うしろ》も背中も、後《うしろ》頭《あたま》までも支えてくれる。

このU字枕を駆使《くし》し、抱き枕とダブルで使用すると睡眠時における体の負担は激減する。更《さら》に研究を進めた結果、抱き枕よりも掛け布団を抱き込む方が広範囲での柔軟対応力があることに気づいた。そういえば昔から、掛け布団を抱き込んで寝ているという絵柄《えがら》はいたる場面でよく見られるポーズなので、多くの人が昔から掛け布団には支える力を求めていたのだといえよう。

というわけで、私は今、横向きで寝ころび、掛け布団を抱き込んで後頭部から背中にかけてU字枕をあてて全身を支えながら眠ることにしている。それでもまだ、寝返りを打った時に少しズレを感じたり、支えが甘い部所に関して気になる点など幾つかの問題が残っているため、それらを考え始めると眠れなくなるのだ。

睡眠ひとつとってもこんなに考え、様々な工夫をしている私からすれば、何も考えずにひたすら惰眠《だみん》をむさぼりグーグー眠っているヒロシや息子の姿を見ると、人生をどう思って生きているのかと思う。

ヒトは、考える力が備《そな》わっているのだ。人生のあらゆる場面でその力を使い、快適な日々を送れるように私はこれからも日常の工夫を考えながら生きる。たとえ無駄《むだ》な試みがあろうと、ボケッとした人生を歩《あゆ》むより生き生きとした人生を歩めるだろうと思うからだ。

とりあえず今私が考えなくてはいけない事は、安眠を得るための工夫を考えすぎずにさっさと眠れる工夫をするということだ。工夫に工夫を重ねることが、いいんだか悪いんだか分からなくなりつつあるこの状況は、ちょっと馬鹿らしいとは思っている。

馬場さんのうちにいく

賀来千香子さんの紹介で、馬場《ばば》利弘《としひろ》さんというヘアメイクのベテランの方に髪を切ってもらうようになってからそろそろ一年が経《た》つ。

初めて馬場さんのお宅に行った時から、私は馬場さんともそこで働いている舞子《まいこ》ちゃんと大島さんという女の子達ともすっかり意気《いき》投合《とうごう》し、それ以来毎月二回ぐらいの割合で馬場さんちに通《かよ》っている。

馬場さんのうちに行く場合、だいたい毎回午後三時頃、お花とケーキを持って出掛ける。馬場さんちに着くとみんな笑顔で出迎えてくれ、いろいろおしゃべりしたりお茶を飲んだりしながら髪を切ってもらったり、マニキュアを塗ってもらったり、お化粧《けしょう》してもらったりする。楽しくゆっくり時間は流れ、夕方七時ぐらいになると、みんなで近所に食事に出掛け、更《さら》にみんなの都合の良い時はそのまま私のうちに来て夜遅くまでワイワイ喋《しゃべ》って解散する。馬場さんちに行く日は、私にとってとても楽しい月例会《げつれいかい》なのだ。

この一年で、馬場さんちでいろんな事が起こった。

ある時、「今日はさくらさんの髪を染めよう」という事になり私も調子に乗って「よし、それじゃあ金髪にして、まるで外国人になったかと思うようにしよう!!」と言ったらみんなでそれに賛成し、そうしようそうしようということになった。

すぐに実行に移された。舞子ちゃんと大島さんがどんどん私の髪に脱色剤《だっしょくざい》を塗っている。このまま脱色がすすめば、私の髪は金髪になるのだ。まるで外国人みたいになるのだ。面白《おもしろ》いじゃないか。馬場さんも「さくらさん、金髪になったらホントに外国人に間違えられるかもよ。面白いねー」と言って笑っている。私もますます調子に乗って「外国人がハローとかって声かけてきたりしてねー」と言って笑っていたが、ハッとして笑えなくなった。

よく考えてみれば、「ハロー」と声をかけられてもこちらは全く喋れないではないか。外国人みたいに髪の色だけはりきって金髪にしても「ハロー」と言われて黙《だま》りこくり、そのままひきつり笑いをし、ひきつり笑いをしてるその顔だってまるで日本人のメリハリの無い特徴《とくちょう》丸出しの顔だ。これはちょっと、みっともないかもしれないぞ。

そう思い、我に返って馬場さんに「馬場さん、私、英語もろくに話せないのに、頭だけ立派な金髪になったらみっともないから、やっぱり金髪にするのやめたいよぅ」と告げた。

「わー、それじゃすぐに洗わなきゃ」と大騒ぎになり私の頭は大至急洗われた。急いで洗ったおかげで私の髪は金髪をまぬがれ、軽めの茶色におちついた。

馬場さんは「さくらさん、よかったよ。外国人じゃなくてハーフぐらいにおさまったから、英語が喋れなくても日本育ちのハーフだって言えば大丈夫」と言った。大島さんと舞子ちゃんも「ハーフなら全然いけますよ」と言っている。

果たして、私が誰《だれ》かに対して自分をハーフだといつわって話をすすめるシチュエーションがあるかどうかという疑問は残るが、みんなが「ハーフでいける」と言っているので大丈夫なのだろう。私もついつい、「ハーフでいけるのならうれしいよ。今までの人生で、まさか自分がハーフでいけるなんて考えたこともなかったからさ」と言い、馬場さんのおかげで新しい人生はハーフということになった。

しばらくして馬場さんの家に電話をかけると、馬場さんがいきなり「ハロー」と言って電話にでたので私は驚き、まさか私のことをホントにハーフになったと思ってるんじゃないだろうかなどと一瞬混乱しながら「…馬場さん、私、外国人じゃなくてすいません。さくらですが…」と言ったら馬場さんは大いにあわてて「あらすいません、実はうちにスペイン人の家族が来るもんですから…」と、私なんかにむかってハローと言ってしまったことを照れていた。

次の日馬場さんちに行くと、ホントにスペイン人の家族がいた。娘は本物のハーフで、娘の彼氏はバリバリのスペイン人だった。馬場さんちの部屋の中にはスペインの音楽が流れ、スペイン濃度《のうど》が高まっていた。

私はスペインの人達に囲まれ、「この人は日本のコミックライターだ」などと珍《めずら》しがられ、飛び交《か》うスペイン語をおとなしくきいていた。スペイン人のハーフの娘と彼氏は只今《ただいま》アツアツラブラブの仲で、ママが「この子ったら、こうしてすぐに夢中になるけれど、冷めるのも早いのよ」なんて言っていた。本物のハーフは、やはりヤルなァと思ったわけである。

またある日、私が知人の結婚式に出席するために馬場さんに支度《したく》をお願いした時には、立派な着物まで何着も借りてきて下さり、まるで私がお嫁に行くかのような騒ぎになった。

それで、「さくらさんは振りそでが似合いそうだ」とみんなが言うので私は「でも、振りそでなんて独身の若い女の人じゃないと…」と言うと、またみんなが「もう独身だから大丈夫だよ」と言うので私も「ああそうだった。独身だから大丈夫か」とつられて大丈夫だと思い込み、本当に振りそでを着ることになった。

馬場さんの知り合いの着付けの方に、てきぱきと着物を着付けてもらっている途中で宅麻伸さんがやってきた。宅麻さんも馬場さんに時々髪を切ってもらっているのだ。

私が着物を着ているのを見て「お、なんだよ、お嫁に行くのか?」と笑いながら言い、早速《さっそく》馬場さんに髪を切ってもらい始めた。

ちょうど宅麻さんの髪が切り終わったころ私の支度も全部おわった。馬場さんにお化粧もしてもらい、草履《ぞうり》から着物から帯まで全部そろえていただいた物を身につけ、すっかりおすましでお出掛けの様子にまとまった私を馬場さんと宅麻さんは玄関の外で見送ってくれた。

ところが、私は慣れない草履をはいたためになかなかうまく歩けず、すぐそこの曲がり角まで行くのに相当時間がかかってしまった。馬場さんと宅麻さんは、私が曲がり角にたどり着くまで見送るのをやめるわけにもいかず仕方なしにふたりそろってずっと手を振っていた。私は内心、〝馬場さんも宅麻さんも、もういいから…もう、ほんとにいいから…〟と思ったのだが振り向いて大声で〝もういいから〟と叫ぶにはちょっと遠い距離なので黙って少しずつ歩くしかなかった。私も馬場さんも宅麻さんも、全員引っこみがつかない状態のまま、やっと私は曲がり角にたどり着き、すぐに馬場さんと宅麻さんは家の中に戻った。

しかし、家の中に戻った宅麻さんは、もう髪を切り終わっていたために、またすぐに馬場さんの家を出た。そして自宅に戻るためにタクシーをひろおうと思って大通りに出たところ、まだ私がウロウロと歩いている姿を発見したのである。

〝まだいる…!!〟と宅麻さんは思い、このまま進んでいったらすぐに私に追いついてしまうので、どうしようかとちょっと悩んだらしい。今、あんなに苦労して見送ったばかりなのに、もう再会するのも早すぎる。だが、私を追い越さないようにソッと後から少しずつ歩いてゆくのも変なものだ。

背に腹は代えられぬと思った宅麻伸は、しようがなく私に「よお」と声をかけた。

背後から男に急に声をかけられた私は、飛び上がっておののいた。まさか、たった今あんなに御丁寧《ごていねい》に見送ってくれた宅麻さんが、私に追いついて私に声をかけるなんて思ってもみなかったから、とっさに怪《あや》しい男にナンパされたかと思ったのだ。いつもならナンパなんてされるはずないと思ってそんなにおののいたりしないのだが、今日は馬場さんのメイクの力と、立派な着物の力が合体しているから、物好きな男の一人や二人、ナンパしてくる可能性がなきにしもあらずかも、という複雑にしておっちょこちょいな心の動きがとっさに私をおののかせたといえる。

ひどくおののいた私を見て宅麻さんもおののき、お互いにビックリしたと言い合って、今度は私が宅麻さんがタクシーに乗るまで見送った。宅麻さんは実に素早くタクシーを拾って「じゃあまたな」と言ってさわやかに去っていった。

数日後、着付けをしてもらっている様子の写真ができあがったので見てみると、宅麻さんや馬場さんが玄関の外で写っている写真があった。それを見るたびに、このあと長時間見送ってくれたんだよなァ…と申し訳ない思い出がよみがえってくる。

いつもお世話になっている馬場さんに、敬意と感謝を込め、私はTVアニメの『コジコジ』に『バーバーババ君』というキャラクターを登場させることにした。ババ君は腕の良いヘアメイクさんで美容院を経営しており、店内にはいつもクラシックが流れていて、休憩《きゅうけい》の時にはみんなでお茶を飲んだりするという設定だ。設定は決まったが、さてババ君をどんなキャラクターにしようかと色々考えた。しかしながらハサミを持っているのが特徴というと、どう考えてもカニか或《ある》いはザリガニしか思い浮かばず、とうとうババ君はカニに決まった。

すごいワザをもつハサミの手
バーバー バババ君

ザリガニよりはカニの方が、なんとなく良い印象だと思ったからだ。

それで『コジコジ』のアニメを馬場さんの家でみんなで見たのだが、カニのババ君が出た時には全員で大爆笑《だいばくしょう》だった。馬場さんも一応笑っていたが、もしかしたら「カニかァ…」と内心思ったかもしれない。

それ以来、馬場さんは知人に会うたびにカニだったねと必ず言われるらしく、私としては敬意と感謝を込めて考えたはずだったのに、ちょっと失敗だったかなァと思っている。

ズル休みをしたがる息子

息子が、保育園をズル休みしたがって困っている。別に保育園がイヤなわけではないのだ。いじわるな子がいるわけでもなく、先生のことも大好きだし好きな女の子もいる。

ただ単に、家でダラダラ勝手に過ごしたいだけなのである。ジュースを飲んだりビデオをみたり、父ヒロシや母や私に甘えたり、そうしていたいだけで毎朝休むと大騒ぎするのだ。

ばからしい話だが、このことは私達家族の間で深刻《しんこく》な問題になっている。私は夜中仕事をして朝になってから寝るので息子のことは両親にまかせていたのだが、毎朝毎朝大騒ぎする息子を説得《せっとく》して保育園に連れてゆくだけで相当疲れるらしい。

ある日の朝、私はたまたままだ起きていたので、ちょっと息子の様子を見に行ってみた。するとウワサできいたとおり、早速《さっそく》「今日、ほいくえん休みたい」という息子の声がきこえてきた。母が「またそんなこと言ってる。ダメだよ」と言うと息子は「今日はカゼをひいてるから休ませてよ。頭がいたいんだよ。だから保育園は休みたいよ」と仮病《けびょう》まで使って訴《うった》え始めている。

なんということだ。まるで私の子供の頃《ころ》と同じじゃないか。遺伝子とは、こんなくだらない性分《しょうぶん》まで伝達するものなのかと驚きながら秘《ひそ》かに様子を見続けることにした。

息子はまだしつこく「頭が痛いから休まないと大変だ」などと言いながら母のあとを追いかけまわしている。とうとう母は怒り「いつまでもそんなこと言ってんじゃないのっ。このまえもズル休みしたばっかりでしょ。そんなにズル休みばっかりしてると、警察に捕まって牢屋《ろうや》に入れられちゃうよ。それでもいいのかねっ」と叫んだ。

母のセリフも私の子供の頃と同じである。私がズル休みをしたがるたびに「警察に捕まって牢屋に入れられるよっ」と怒鳴《どな》られたものだ。世の中のシステムがわかっていない子供にとって、これは効果があるといえる。

息子は「ろうやになんて、入るもんか。バカヤロー」と叫び、わんわん泣いた。しかし父ヒロシも母も黙《だま》っている。ここで何か慰《なぐさ》めの言葉をかけたりしてはいけないのだろう。家中に息子の泣き声は響き、朝の食卓は八方破《はっぽうやぶ》れなムードに包まれていた。

父ヒロシが息子に「やい、もう泣かねぇで御飯《ごはん》食え」と言うと息子は泣きながら怒り、「御飯なんて食うもんかっ。人が泣いている時に御飯食えなんて言うな――っ」と叫んだ。

まったくである。泣いてる時に御飯なんて食べたくもない。私は大笑いしそうになったがこらえてそのまま様子を見続けた。

せっかく御飯をすすめたのに怒鳴られたヒロシは頭にきて「それじゃ食わな

人が泣いてるのに ごはん食えなんていうなっ
そんなら食うなっ

くていい。もう食わねぇで保育園に行け」と言うと息子は「なんだよォ、おじいちゃんなんてやっつけてやるっ」と言って泣きながらウルトラマンの攻撃のポーズをしていた。父ヒロシがそれを見ずにTVをみていたら息子はますます怒り「バカヤロー、死ねよーっ」と泣き叫んだ。ウルトラマンのポーズを見逃《みのが》していた父ヒロシはいきなり死ねよと言われたことに驚き、「なんでオレが死ななきゃなんねぇんだよ」と言うと息子は「なんでもさってもあるもんか」と言ってワ——ッと泣いた。

もうメチャクチャである。毎朝大騒ぎになっているとはきいていたが、これはまさしく本物の大騒ぎだ。大騒ぎとはこういうものだという見本のような大騒ぎぶりだ。

そのあと母と父ヒロシは息子を追いかけ回して御飯を食べさせ、暴れる息子をとっつかまえて服を着がえさせ、休む休むと叫び続ける息子の手を引いて保育園へと向かって行った。

見ているだけで疲れた。途中までは私の子供の頃と似ていたが、その後は息子の方が断然《だんぜん》悪かった。私は「警察で牢屋」ときけばおとなしく諦《あきら》めたものだ。今ここで、息子にピシッとわからせておかなければ、十年後にはとんでもない暴れん坊の迷惑息子になってしまうかもしれない。それは困る。絶対に困る。あの調子で暴れられたら誰《だれ》も手がつけられない。

そう思い、私は息子にピシッと言うことにした。夕方息子が帰ってきたので呼び出し、「ちょっと話があるんだけど」と言うと息子は「何か用か」と慣れた口をきき、私の顔を見た。私は息子に「あんた、毎朝保育園に行かないって大騒ぎしてるでしょ」と言うと息子は「してないけど。別に」とすました顔で言うので私は恐い顔をして「ウソつくんじゃないよ」と言い、今朝の大騒ぎを見ていたことを話した。

すると息子は「勝手に見るなよーっ」と叫び、カンカンに怒った。私は息子に「そんなことで怒るなっ」と言うと息子は「オレはおこってるんじゃない。

勝手に見るなって注意しただけだーっ」と大声で叫んだ。いちいち理屈《りくつ》が通っているのが憎らしい。

私は息子に「よくききなっ。あんたが保育園を休みたがる気持ちはよくわかるよ。ママも小さい頃は幼稚園をズル休みしたくておばあちゃんに毎朝怒られていたからね」と言うと息子は「ママも？　子供のころ毎日ズル休みしたいって泣いたの?」と言うので私は「うん。でも、イヤでも行かなきゃなんないんだよ。人はみんなねぇ、がんばってやらなきゃなんないことがあるんだ。あんたもがんばらないと」と言った。

すると息子は「ママもズル休みをしたいって泣いたのか――」と叫び、「オレと同じだ――」と喜び、「オレもズル休みをするぞー」とはりきった。それを見ていた母が「ちょっとももこ、ダメだよあんた、ますますズル休みをするって言ってるじゃん」とうろたえていた。私もシマッタ、と思ってあわてた。

仕方ないので私は息子をもう一度呼び出し「ちょっとききな。さっき、ママが小さい頃ズル休みをしたがったって言ったけど、アレはウソだよ。ホントは毎日大喜びで行ったんだよ。一回もズル休みをしたいなんて言ったことはないよ。ね、おかあさん」と母に同意を求めると母も「そうだよ。ママは小さい頃、おりこうだったね。一回もズル休みをしたりしなかったよ」とやむを得ず過去の私をほめたたえた。

息子は私達をジロリと睨《にら》み、「ふたりともウソをつくなーっ」と怒鳴り、また例のウルトラマンの攻撃のポーズをしたので私と母は「う——、やられた」と言って仕方なく倒れた。どんな時でも一応やられないと面倒《めんどう》なことになるのだ。

説得に失敗したため、次の作戦を考えなくてはならなくなった。どうしようかと考えていたある日、息子と一緒にゴロゴロと昼寝をしようとしていた時、たまたま竿竹屋《さおだけや》の声が遠く彼方《かなた》の方からきこえてきた。

息子はハッとし「あれ？　何の声？」と言って不安そうな顔をしていたので

私はチャンス到来《とうらい》と思い「あっ、あの声は悪い子供を探してつかまえようとしてる人の声だよ」と言うと息子は「えっ……」と真剣《しんけん》な顔になった。竿竹屋の声は非常に小さく「さおやー、さおだけー…」ときこえていたのだが、ハッキリとしたセリフはききとれなかったので私はその声の音程《おんてい》だけを利用し「ホラ、『わるい子ー、いないかー』ってきこえるでしょ」と言うと、息子は「…うん」と言って深刻な表情で黙った。

私は竿竹屋の車がうちの近所に来ないことを祈りつつ、息子に「ああやってね、悪い子をつかまえるために車が回っているんだからあんたも保育園に行かないとか、そういうことを言ってみんなを困らせるんじゃないよ」と言うと息子は「うん」と真面目《まじめ》にうなずき、いい子になる事を誓《ちか》った。

幸《さいわ》い、竿竹屋はそのまま遠くに行ったらしく、息子にバレずに済んだ。成功だ。竿竹屋のおかげで我が家は平和になった。

一同ホッとしたのも束《つか》の間《ま》、三日目には竿竹屋の効果は無くなっていた。そんなに長く効果があるとは思っていなかったが、こんなに早く効果が無くなるとはちょっとガッカリした。

そんなわけで、また次の作戦を考えなくてはならない。誰かいい手があったら教えてほしい。

町内の春祭り

先日、姉がやってきて息子に「今度の日曜日、うちの近くの公園でお祭りをやるから来れば?」と言った。それをきいた息子は「行こうぜー」と言ってもう行こうとしていたので「まだだよ、今度の日曜日だってば」と言って家族全員でとめた。

それからというもの、息子は今度の日曜日が来るのを毎日待ち続けていた。すぐに今度の日曜日はやってきた。私が夜のつづきでたまたま朝早くから起きていたら息子がやって来て「行こうぜ」と言った。

行こうぜと言われても、私は全く行く気がしなかった。別に町内のお祭りなんて今さらわざわざ行きたくもないし、そもそも私は今から眠ろうと思っていたのだ。

私が「私は行かないよ。おじいちゃんとおばあちゃんと行っておいで。お祭りの場所に着いたらお姉ちゃんもいるんだからさ」と言うと息子は怒り「行かないなんて言うなーっ。そんなことを言う奴《やつ》は、やっつけてやるっ」と言って例のウルトラマンの攻撃のポーズをとり、ビ――ッと光線を発したので仕方なく「わー」とやられた声をあげて倒れた。

倒れている私にむかって母が「あんたもたまには行ってやればいいのに」と言ったので息子もそれに賛成し「そうだぞ。行けよー」と叫んだ。母は「わたしゃなんだか今日は体の具合がわるいから、ホントは行きたくないんだけど…」と言っていたのでなんだか気の毒になってきた。そういえば顔色も良くない気がする。

ここはひとつ、年寄りまかせにしないで私が行くべきか、と思い「…じゃあ、行くよ。お母さんは家で休んでいなよ。私とおとうさんでこの子を連れて行くからさ」と言うと母は喜び「助かるよ。よかった」と言って急にちょっと元気になり、顔色も心なしか少し良くなった気がした。お祭りに行くと決めただけでちょいと親孝行したかもな、と思った。

父ヒロシと息子と私は早朝からバスに乗り、電車を乗り継いで姉の住む町へ向かった。

お祭り広場には午前中だというのにたくさんの人が来ていた。なのに姉はまだ来ていなかった。父ヒロシが「オレ、お姉ちゃんに電話してくるからよォ。おまえら適当にあそんでろよ」と言うのでそうすることにした。

お祭り広場では、町内の人達がやっているにしてはかなり本格的な屋台が並んでいた。私は自分の心の奥の方ではりきりの気分が湧《わ》き上がりつつあるのを感じていた。町内のお祭りなんて別に行っても面白《おもしろ》くないだろうなどと思っていたが、このはりきりの気分はどうか。

ふと見ると〝金魚すくい〟の文字が目に飛び込んできた。それが引き金となり、はりきりの気分はあっけなくボンッと爆発した。

心全部がはりきりの状態になった私は、ヤキソバが欲しいと言っている息子の話もきかずに金魚すくいに直行した。金魚すくいをやらずにヤキソバなんて食べてる場合ではない。

店のおばさんからタモを二本買い、一本を息子に手渡した。息子は金魚すくいを初めてやるためにタモを見てもわけがわからず「コレ、何?」と言っていたが、こちらも詳《くわ》しく教えてあげるヒマはないので「それで金魚をすくえばいいんだよ」と不親切な説明だけで済ましてしまった。

金魚すくい場は混雑《こんざつ》しており、入る透間《すきま》がなかったが、私と息子はどうにか割り込んで場所をとった。ふと見回すと、大人はひとりもいなかった。大人どころか中学生ぐらいの若人《わこうど》もいない。いや、小学校高学年もいない気がする。ましてて、はりきりが爆発してタモを片手に腕まくりしている大人なんて、自分以外にどこを探したっていないではないか。

〝なんで他の大人はやらないんだろう…〟と思っているうちに、隣にいた息子のタモが破《やぶ》けた。私は「あっ、もう破けたの⁉　あんた、下手《へた》だねぇ。ちょっと私のやるところを見ていなよ」と軽く息子の失敗をののしったあと得意満々で私の腕前を披露《ひろう》してやろうとしたとたん、息子は「なんだよっ、オレは下手じゃないぞっ。もう一回オレにやらせろ」と叫んで私のタモを取り上げようとしてきた。

私のタモを持つ手は息子の追いかけてくる手から逃げることになった。逃げる金魚を追うはずの私のタモが、追いかけられて逃げなくてはならない立場になるなんて、今まで金魚すくいでこんな目にあったことはない。本当は、大声で「こらっ、じゃますするんじゃないよっ」と怒鳴《どな》りたかったが、金魚すくいにこんなに情熱を持っていることが周りの人達にバレるとみっともないのでグッとこらえて小声で「こらこら、ちょっとママのじゃましないでね」などと心にもないやさし気《げ》な感じで息子をなだめながら手を動かし続けた。

しかし、小声でなだめたぐらいできくような息子ではない。私の小声など、

町内会
町内会
町内会
こらァ じゃま するなっ
オレに やらせろよ
あの人 大人なのに……

毛虫のいびきと同じぐらい、彼にとってどうでもいいようだ。息子はずっと邪《じゃ》魔《ま》をした。私のタモは息子から逃げつつそれでもまだ金魚を追い、どうにか二匹《ひき》すくった。

たった二匹なんて、心の底から不本意《ふほんい》な結果となった。こんなもんじゃないのだ。本来の私の実力はこんなもんじゃない。ガックリしてうつむきたかったが、先程《さきほど》と同じく金魚すくいへの情熱のバレを危惧《きぐ》して平静な態度を装《よそお》い、店のおばさんに二匹しか入っていない容器を手渡しタモを返した。

おばさんは「あらあら、ママは二匹でボクは一匹もとれなかったんだね。残念残念」と言いながら残念賞の金魚をビニール袋に入れてくれた。合計で七匹もらった。この七匹を家に帰ったらタライに放《はな》ち、自分で細工《さいく》したタモで金魚すくいをもう一回やり直したい。

そんなことを思いつつ呆然《ぼうぜん》とたたずんでいると、やっと姉とヒロシがやってきた。彼らは私達が金魚すくいにチャレンジし終わった姿を見て驚き「もうやったのか」「早いよね」などと口々に言った。

その後、ヤキソバを買い、それを食べずに〃地震体験車〃に乗りに行くことになった。姉が、どうしてもアレに乗ってみたいと言うのである。私も、少し乗ってみたい気はしていたが、順番で並んでいる人が多かったので待つのも面《めん》倒《どう》くさいな…と思い、「やっぱりやめようよ」と提案したのだが「あんた、本物の地震でもないのに震度7の揺れを体験できる機会なんて、アレに乗るしかないんだよ」と、震度7体験への欲望を強く語ったのでそれ以上は逆《さか》らえなかった。

私と姉と息子は順番の列についた。ヒロシは少し離れた列の脇《わき》で、金魚の入った袋とヤキソバの入った袋をだらしなく持ち、私達が震度7を体験し終わるのを待っていた。

ヒロシの隣のほうで、町内の人達がモチつきをしており、つきたてのモチが三個二百円で売られていた。きなこモチ、あんこモチ、いそべモチ、どれも死ぬほどおいしそうだ。モチ売り場の人達が「はい、つきたてのおモチだよー。すっごくおいしいよー」と叫んでいる。客がどんどん寄ってきて、モチは次々飛ぶように売れていた。

こんな所でボンヤリしている場合じゃない。早くしないとモチが全部売り切れてしまう。私は焦《あせ》った。モチ売り場の人はあんなにモチが売れているのにまだ「おいしいモチだよー」と叫んで客を呼び込んでいる。頼むからもうそれ以上モチがうまいと叫ばないでほしい。黙《だま》っててもそのモチは売れるから、私が行くまで叫ばずに待っててくれ。

そのような激しい気持ちで私はモチ売り場を見つめていた。この私の気持ちを察し、ヒロシがモチを買いに行ってくれればいいのに彼は全く気づいていない。ヒロシの横で、あんなにてきぱきとモチつきが行われているのに、なんでヒロシはモチが欲しいと思わないのだろう。鼻先に生肉を持ってこられても食べない犬よりどうかしている。

モチの心配をしているうちに、地震体験の順番はやってきた。さあいよいよ乗ろう、とした時急に息子が「やっぱり乗らない。こわい」と言い出したので私と姉はあわてた。金魚すくいと同じく、コレに乗るのはほとんど子供だったのだ。大人は、子供のつき添いで乗っているだけで、子供が乗らないのに大人だけで乗っている人なんていなかった。だからどうしても息子が一緒に乗ってくれないことには私達姉妹は大恥《おおはじ》をかくことになるのだ。

地震体験願望の強かった姉は必死で息子を説得《せっとく》していた。私はモチのことも気になっていたので、この際乗らずにモチを買いに走ってもよかったのだが、せっかく順番まで待ったのだから一応乗った方がいいかな、とも思ったりした。私がどちらとも言えずに曖昧《あいまい》な態度で何となくやりすごしているうちに、姉の説得は実《みの》って息子も一緒に車に乗ることになった。

車の上で、私達三人は震度7の体験をした。震度7って、やっぱりものすごく揺れるものだなァと思った。日常の生活の中でいきなりこの揺れに襲われたら、大変な事になるだろうなァ、などと色々思った。姉も「やっぱ、けっこう揺れるよね」と言っていたので彼女なりに色々思ったのだろう。そして彼女の地震体験欲も、ひとまず落ちついたようだった。

車から降《お》り、私はモチ売り場へまっしぐらに走った。モチはまだ売り切れていなかったのでホッとした。きなこモチと磯辺《いそべ》モチを買い、モチを受け取るとプラスチック容器からモチのほのかな温かさが掌《てのひら》に伝わり、今、この世で一番おいしい物はコレかもな、と思った。

姉と息子はチビッコ汽車に乗りに去って行った。ふたりとも、モチが目の前にあるのによくチビッコ汽車に乗りになんて行くよな、と不思議にすら感じた。

私とヒロシは隅《すみ》のベンチに座って早速《さっそく》モチを食べた。予想どおり、それは今、この世で一番おいしい物だと言わしめる実力があった。おいしい。とにかくおいしい。このモチを食べながら、近くでモチつきをしている人達の姿が見えるなんて、魚の泳いでる水槽《すいそう》を見ながら食うスシのような贅沢《ぜいたく》さである。こんなおいしいモチが、六個で四百円なんて、今後も町内のお祭りは要チェックだなと感じていた。

家に帰り、母にお土産《みやげ》のモチをあげた。しばらくしてから私は「おかあさん、おモチ、食べた？」と尋《たず》ねると母は「ああ、アレね。食べたよ」と言うので「すっごくおいしかったでしょ」と言うと母も「うん、すっごくおいしかったよ。やっぱり、つきたてはおいしいね」と言った。近くにいたヒロシも「あれはうまかったな」と地味に感想をつぶやいていた。

数日後、母とヒロシが何か真剣《しんけん》に話しているのできいてみると、なんとまだあのモチの話をしているではないか。私は驚きながらもうれしくなり話に加わった。たまたま姉もいたので四人でモチの話をしているうちに、こんなにつきたてのモチが気に入ったのなら電気モチつき器を買った方がいいんじゃないかということにまでなった。本物のモチつきのモチよりも少々味は落ちるかもしれないが、それでも手軽につきたてのモチが味わえるのならいいかもね、と母と私とヒロシは言い合った。姉は「そんなもの、たまに食べるだけにしとけばいいじゃん」と言っていたが、私達三人は電気モチつき器のことをかなり真剣に考えていた。

というわけで、近いうちに私は電気モチつき器を買うかもしれない。尚《なお》、金魚すくいですくった金魚七匹は、一匹も死なずに元気に育っている。七匹中五匹は残念賞でもらった金魚だと思うとふと情《なさけ》ない気持ちになるが、みんな丈夫で大きくなってほしいと思う。

その後の近況

年が明け、いよいよ一九九九年になった。何がいよいよかというと、ノストラダムスが人類滅亡と言った年になったということだ。

いよいよその年が明けたというのに、我が家では元旦からみんなそろって手巻きずしを食べていた。なんかものすごくおいしかったので、次の日も食べようということになった。それで、次の日も手巻きずしを食べた。二日目ものすごくおいしいおいしいと家族中で騒ぎ、次の日も食べようということになった。

三日目も本当に手巻きずしを食べた。それでもまだ誰《だれ》も飽《あ》きなかった。とうとう四日目も手巻きずしを食べることになった。四日間も手巻きずしを続けて食べた正月も初めてだった。ヒロシが「今年の正月は良い正月だったなァ」と言っているのを見て、幸せって手巻きずしとか、そういうちょっとしたことなんだよなー…とボンヤリ思いつつ、ふと「新福さんもおめでたい企画が去年はあったけど、アレ、幸せだったのかなァ」と思うと同時に私の心の中で〝新福さん、おめでとう〟というエッセイのタイトルがパッと決定したのであった。

　そもそもこのタイトルを思いついたのは去年の秋の終わり頃《ごろ》だったのだが、最初は冗談《じょうだん》半分のつもりで軽く心のメモ帳に書きとめておいた程度だった。〝新福さん、おめでとう〟なんて、いくら景気のよい感じがするタイトルとはいえ、どうかしてるよな、フッ、と我ながら失笑《しっしょう》したりしていた。

　そう思っていたのに、正月の四日間連続手巻きずしが、このタイトルを本気にさせた。〝新福さん、おめでとう〟という言葉の中には、今の私にとってのおめでたい感じの要素が全て入っていることに気づいたのだ。離婚をして新しい人生が始まった今、福が来たかと思われる正月。思わず〝おめでとう〟と叫びたくなるこの気持ち。まとめると〝新福さん、おめでとう〟になる。これ以上ピッタリのタイトルは他にない。新福さんを讃《たた》える会をやっておいてよかった。あの当時はまさかエッセイのタイトルになるなんて考えずに夢中で行動していたが、今ここにきてタイトル決定という大きな収穫を得た。

正月が明け、二月、またエッセイの缶詰《かんづめ》に入る季節がやってきた。例年のように新福さんから「今年はどこのホテルにしましょうか」という連絡が入ったので、今年は二年ぶりにまたパークハイアットにしてもらうことにした。久しぶりにあのすてきなホテルから富士山を見たいと思ったのである。

新福さんはすぐにパークハイアットを予約してくれた。自分の名前のタイトルに決定しているとも知らず、彼は私がパークハイアットでいっしょうけんめいエッセイを書くことを信じ、いたれり尽《つ》くせりの環境を整えようとしてくれているのだ。

缶詰の当日、ホテルには八代《やしろ》さんが待っていてくれた。そのあと新福さんもやってきた。ふたりとも、チェックインをする私の姿を見届けるためにだけわざわざ来て下さったのである。「そんなことしてくんなくてもいいですから…」と言ったのに、ふたりとも「いえ、行かせて下さい」と言って来てくれたのだ。せっかく来てくれたのだから、タイトルがアレに決まったことも伝えておこうと思って、私は「タイトルは『新福さん、おめでとう』っていうのに決めました」と言ったのだが、八代さんも新福さんも笑っていた。どうやら本気にしてないようだ。

まァいいか、と思って私はホテルの部屋に入った。美しいこの部屋は、二年前と変わらぬ姿で私を迎えてくれた。ふと、テーブルの上にローマ字で私の名前が書かれた封筒がおかれていたので開けてみると、何か英語でメッセージが書いてあるカードが入っていた。

パークハイアットのえらい人からの歓迎の手紙だった。「さくらさん、よくぞまたパークハイアットに戻ってきて下さいました。私達はうれしいです」というようなことが書かれているではないか。昨年私がよそのホテルに浮気したことをパークの皆さんは御存知なのだ。よそのホテルもよかったが、おなじみのパークハイアットはまた独特の喜びがある。パークハイアットのえらい人、手紙をどうもありがとうございます、私も再びここに来られてうれしいでございます、と思いながら夕焼けになりそうな空を見た。

それから五日間、私は寝るか書くかマッサージをしてもらうか風呂《ふろ》に入るかつまみ食いをするか、その五つの行動のうちのどれかしかしない毎日を送った。素晴らしいホテルに居《い》ながら、この地味な行動の繰《く》り返しで五日間を送るというのは意外と精神力がいるものなのだ。

缶詰の結果、原稿の約半分が終わった。半分終われば一応今年も順調だといえる。新福さんも八代さんもスタッフ一同も皆とりあえず安心し、残り半分はコツコツ仕上げてゆくことになった。

毎年、残り半分を済ませるのが大変なのだ。いつも油断《ゆだん》して残り半分があることを忘れて過ごしてしまう。他の仕事に手を出してみたり、友人の誘いを断わらずに遊びに行ってしまったり、ついつい酒を飲んでしまったり、やたらと何回も風呂に入ったかと思えばカゼをひいてみたり、何をやっているんだと尋《たず》ねられても答えられないバカげた日々が過ぎてゆく。

そんな日々の中、息子のさくらももこ疑惑《ぎわく》は私の過失《かしつ》でまた一歩深まってしまった。息子がそばにいるのに私は電話口で「…さくらももこですが」と言ってしまったのだ。しまった、と思った時にはもう遅く、息子はそれをきいていた。

電話を切るとすぐ、息子は「今、さくらももこですが、って言ってたよね」と私に向かって言ってきた。万事休す感が私の全身を貫《つらぬ》いた。もういよいよおしまいかもな…と思いながらも一応「ううん、ちがうよ。さくらももこですか？　って言ったんだよ。ホラ、さくらプロダクションってさ、さくらももこがらみの仕事をしているから、さくらももこには関係なくてもさくらももこのことをきかれることもあるんだよ」と、自分でもよくそんな口からでまかせがでるよなーと、自分新発見という気すらしながら息子に言った。

するとと息子は「ふーん」と言いながら、『だんご3兄弟』のCDについていいる付録のカードみたいのを持ちながら、「ホラ、ここに、さくらもちよさんって書いてあるよ」とニヤニヤしながら3兄弟のあこがれの女性の名前を教えてくれた。

どう思って息子はニヤニヤしているのか。こいつ、ホントはわかってるんじゃないか、と私はいぶかし気な顔をたぶんしながら息子を見ていた。私はおもむろに、「ねえ、さくらもちがうちに来たら、どうする?」ときいてみた。すると息子は「ちょっと恥ずかしいね。照《て》れちゃうな」と言ったので私は安心した。おちんちん丸出しで走り回っている様子を毎日見かけているうちはまだ大丈夫だ。

あいかわらずヒロシは間違い続けている。ある日西城秀樹《さいじょうひでき》がTVにでているのを見ながら「おい、そういえば、ヒデキの仲間の野口英世は結婚するとかって言ってたな」と言ったので私は〃また間違ってる…〃と思いつつ「ちがうよ、野口英世は医者でしょ」と言ってやると今度は「ああそうか。まちがえた。野口ヒデキだった」と、まさに角刈りステーキ状態である。角刈りステーキといえば和田さんだが、あのあと実は私も『ワダダス』を入手したのだ。

糸井事務所の斉藤さんというお姉さんが、「ももちゃんにも『ワダダス』をあげるよ」と言ってくれたのである。斉藤さんによれば、この『ワダダス』は和田さんの知り合いの結婚式の引き出物にも加えられたりしたそうだ。

私はうれしかった。『ワダダス』は非常によくできており、和田さんの会社のスタッフの人達もこんな物を作ったなんて、新福さんを讃える会をやったうちの会社と気が合いそうだなァという思いが一方的につのった。

二月も三月も、友人や家族のあいだで宇多田《うただ》ヒカルがうまいという話によく花が咲いた。馬場さんちに行ってもいつも宇多田ヒカルが流れており、みんなで「うまいよねー」と言っては声が良いとかリズムが良いとか、十五や十六でよくこんな恋愛の歌詞が巧《たく》みに書けるものだといちいち細かく感心し合った。

　考えてみれば、私なんて宇多田ヒカルの倍以上も長く生きているのに、ポンポコリンだとかじゃがバタコーンさんだとか、そんな変な作詞ばっかりしているうえ、歌も踊りも英語もできずに一番最近成《な》し遂《と》げた大仕事といえば離婚だ。これじゃうちの母も「あんたはバカだよ」と言って嘆《なげ》くはずだ。自分ではけっこうがんばっていると思っていたが、全く親から褒《ほ》められることがなかったので毎日不思議に思って生きていたが、宇多田ヒカルによりつくづく我が身のろくでもなさに気がついた。「宇多田ヒカルはえらいよなー」とつぶやいていたら、そばで母が「そうだよ。あの子はえらいよ。藤圭子《ふじけいこ》は幸せだね」と言った。自分も幸せだとは、やはり言わなかった。

　なんとなく、近くにいた息子に「ねえ、今何が一番好き?」と尋ねると、息子は「だんご3兄弟っ」と答えた。今年前半は、宇多田ヒカルとだんご3兄弟なのだ。仕方ないじゃないか。私は自分がさくらももこだということも必死でかくしているのだし、彼の答えに母親への思いやりなど何も無くても当たり前だ。

そう思ってボンヤリしていると、息子は急に「ドラえもんとまる子とコジコジも好きだけどね」と言った。ドラえもんは根強いなァと思いつつ「じゃあ、その中で誰が一番好き?」と尋ねると、息子は「山根」と答えた。腹に手を当てて胃腸を押さえるポーズまでとっている。本気で山根が好きなのだ。

複雑な心境だった。一言で言えば、「山根かァ…」という気持ちである。まる子やコジコジはもちろん、ドラえもんやのび太君までさしおいて山根がトップに躍《おど》り出るなんて、非常に意外な結果だった。

山根なんかが好きな息子は、予防注射《よぼうちゅうしゃ》を打つのに大変手こずり、うちに往診《おうしん》に来て下さった藤川先生の前で「バカヤロー、なにをしやがるんだー」等《など》と散々悪態《さんざんあくたい》をつきまくり、私と母は藤川先生に申し訳なくて平謝《ひらあやま》りするしかなかった。まだ何回も予防注射をしなくてはならないため、どうにか息子を説得しようと思い私は息子に「あんたねぇ、注射ぐらいでいちいち大騒ぎするんじゃないよ、みっともない。私なんかねぇ、あんたと同じぐらいの年の時にゃもうちゃんと覚悟《かくご》できてたんだよ。先生の前にサッと腕を出して、『先生、ひとつよろしくお願いします』って言って、注射針が腕に刺さるのをしっかり見届けてから、『どうもありがとうございました』ってキチンとお礼を言ったもんだよ。あんたもそのぐらいやってみな」と言ってやった。

実際の子供の頃の私は、息子と同様に大騒ぎをし、病院から脱走したところを看護師三人がかりで追いかけられて捕まったり、ベッドの上に押さえつけられてもまだ暴れるので親まで押さえるのを手伝ってやっと注射を打たれたりしていた。しかし、そんなことは息子には言えない。

ウソの話をきいた息子は「オレだってそのぐらいしてやるぞー」と言ったので私は内心しめたと思い、「じゃ、今度はしっかりしなよ」と言って息子の肩をポンと叩《たた》いた。

なのに、次も息子は大暴れをし、私と母は藤川先生に平謝りだった。藤川先生はすごく優しいので「どこのうちの子もみんな大騒ぎするから大丈夫ですよ」とおっしゃって下さっているが、過去の自分のことを思うと、病院から脱走までしてあんなに騒いでいる子供は見たことがないと親に言われた記憶があるため、我が子も他の子供よりかなり騒いでいるんじゃないかという気がして仕方ない。往診に来てもらっているために脱走こそしていないが、これが病院だったらヤツは脱走しているに違いない。

だから山根のファンなんかじゃダメなのだ。同じ脇役《わきやく》でも大野君と杉山君とか、もうちょっと気合いの入ったキャラクターのファンになって見習《みなら》ってほしいところである。

三月下旬から四月上旬にかけ、さくらプロダクションのスタッフ達は次々と季節遅れのカゼにかかって倒れた。それなのに私は、どうしてもアニメ監督の芝山《しばやま》さんの住む浅草《あさくさ》にお花見に行くと言い出したためにスタッフ達は大至急カゼを治《なお》し、花見に備《そな》えた。私は「マイクロバスを借りて行こう」と言ったのだがそれはどうにかスタッフ達の力で阻止《そし》され、各自電車やタクシーで浅草に集合することになった。

当日、気温は低く桜は五分咲《ごぶざ》きだった。雨こそ降っていなかったが全く晴れてはおらず、花見に適している天気ではないと言えた。くいしんぼう同盟の木村さんと祖父江さんも来てくれて、一応同盟のメンバー四人は久しぶりにそろった。

芝山さんの案内で浅草めぐりが始まった。仲見世《なかみせ》の「むさしや人形店」で人形を買ったり、記念撮影をしたり、ちょっとした修学旅行のような気分である。せっかくだからと浅草寺《せんそうじ》にお参《まい》りに行き、そこでおみくじを引いたら吉《きち》だった。おみくじには「新しい人生、だいたいのことがうまくゆく」というようなことが書いてあり、私は「おお、これはっ」と思わず叫んでしまった。

以前、浅草寺でおみくじを引いた時には、凶《きょう》で「ろくでもないことばっかりで大変だ」というようなことが書いてあったのだ。そしてそれはけっこう当たっていた。

今回、〝新しい人生〟みたいなことが書いてあるところからして、何と私にあてはまることとか。以前の図の時の当たりぶりも含めて総合的に考えると、今回の〝だいたいのことがうまくゆく〟というのも当たる確率が高い。

思い切ってお花見を決行してよかった。芝山さんの奥さんが持ってきて下さったおすしやお茶もおいしくて、みんな大喜びだった。途中で入った甘味処《かんみどころ》の豆《まめ》かんがおいしくて、私はその日以来毎日自分でも豆を煮て寒天《かんてん》を固め、豆かんを作って食べている。

花見の翌日、今度は息子がカゼをひいた。本来ならその日、三度目の予防注射をするはずだったのに、発熱したため注射は中止となった。注射の中止に息子は喜び、大声で『だんご3兄弟』を歌っていた。こんなに元気なのに、熱があるなんて…と家族中で話題になった。

その日から一週間、息子は保育園を休み、私と母は振り回された。もう治ったかと思ったら、今度は中耳炎《ちゅうじえん》になりかかり「耳が痛い」と言って騒ぐので、病院へ駆け込んで薬をもらってきたら「薬なんて飲むもんか」と言って大暴れをして家族中を困らせた。

とうとうヒロシが〝悪い子供をどこかに連れて行ってしまう恐い男〟になりすまし、マンションの外に出て我が家のインターホンを鳴らし「薬を飲まないで騒いでいる子供はこの家にいるのか――」と叫んだので、息子は一気に恐怖のどん底に突き落とされ、やっとおとなしく薬を飲むと言い出した。私と母は息子のそばでわざと「やっぱりあの男が来たね」とか、「本当にいるんだ。恐いね」などと大きめの声でウワサをし、息子がこの事態を真剣《しんけん》に受けとめるように手を尽くした。まもなく外からヒロシが戻ってきて、「おい、今、外に恐い男がいたぞ」と言ったので私と母はますます震《ふる》え上がり「こわいねっ」と言って恐がる演技をした。こんなこと、バカらしくてやってられないのだが家族総出でしっかりやらないと効果がないのでやるしかない。

家族総動員で力を合わせて〝恐い男が来た今日の夜〟を演じた効果は良好で、息子は薬をちゃんと飲むようになり、中耳炎はひどくならずに済んだ。

そんなあわただしい日々の中、くいしんぼう同盟は地道に活動をし、約束どおりサントリーの斉藤さんも誘い食事会を開いた。ついでに祖父江さんとこの本の装幀《そうてい》の打ち合わせもしようと思い、私は勝手にすすめておいた表紙絵のラフを持っていった。この本の表紙については、かなりイメージができていたのである。〝おめでたい派手《はで》な感じ〟ということを基本に考え、今回はちょっと色彩的には毒を、絵柄《えがら》的には若干《じゃっかん》のナンセンスとかわいらしさを入れつつも何となくロココ調のような格調《かくちょう》も欲しいので人形の写真も入れたい、などというややこしい思いを、ラフの紙を広げながら祖父江さんに説明すると、祖父江さんはすんなり「わかりました。さくらさん風のロココなわけですね。ふむふむ」と言って理解してくれた。

これだから祖父江さんは有難《ありがた》いのだ。どんなにややこしい事を言っても間違いなくすぐにわかってくれる。呑気《のんき》で心優しい祖父江さんは家に帰れば一歳のカワイイ娘さんのパパとして力強く家族を守り、仕事先ではシャープな感覚で次々といろんなテーマをこなしている。祖父江さんを知っている人はみんな、そんな祖父江さんを親しみつつ尊敬しているのである。一見すっとこどっこいに見られがちなその風貌《ふうぼう》を生かし、今日も祖父江さんは多忙《たぼう》なスケジュールをやりくりしてがんばっている。

装幀の打ち合わせも終わったので、早速《さっそく》表紙の絵を描くことにした。絵を描いている途中で、「あ、そういえば、新福さんにタイトルを本気でコレにすることを伝えてなかったなー」と思っていたところ、スタッフの上野さんから「新福さんに、このタイトルが正式に決まったことをお伝えしたところ、あわてふためいて〝このタイトルだけはやめて下さい。こんなタイトルでは、社内でも反対されて通りません〟とおっしゃっていました」という報告が入った。

私はあわてふためく新福さんを想像し、けっこうウケた。いくらやめてくれと言われても、どうしてもこれだけはやめるわけにいかない。これよりいいタイトルが他に思い浮かばないからだ。変えたとしてもせいぜい〝新福さん、おめでとう〟を〝おめでとう、新福さん〟にするかどうかといったところだ。新福さんがあわてふためいたぐらいで、誰がコレを変えるものか。

私は上野さんに、タイトルは全然変えるつもりはないよと告げた。上野さんも「そうですよね」と言い、新福さんのあわてぶりは何の効果もなく終わるかのように思われた。

ところが、新福さんはこの後も激しく抵抗し、「どうしてもやだやだ」と騒いで我々を困らせたのである。もちろん、新福さんは立派な大人の方なので、やだやだと騒いだとは言っても実際にはもっと冷静かつ穏《おだ》やかに、「このタイトルだけはどうしても変えていただきませんと…」などという騒ぎっぷりだったわけだが、どっちにしろ私も上野さんも困惑《こんわく》した。

新福さんは自らタイトルの変更案を提示し『おめでとう、こんにちは』というタイトルはどうかと真剣に訴《うった》えてきた。そのタイトルが、本気でいいと思ってすすめているらしい。私の人生は万博《ばんぱく》じゃないんだから、という思いが湧《わ》いた。

とうとう上野さんは集英社まで行き、新福さんや彼の上司に会い、このタイトルはどうしても変えられないのだという事を説明するはめになった。このタイトルには作者の今の全ての想《おも》いが込められていること、そしてたまたま新福さんがそんな苗字《みょうじ》だったこと、これが「新福さん、おめでとう」じゃなくて「上野さん、おめでとう」じゃ意味がないんですよという事まで、彼女は自分の名前をも持ち出して延々と力説したのであった。

それなのに新福さんはきかず、まだ「やだやだ」と騒いでいた。いい加減《かげん》で「いいよ」と言ってくれればいいのにと思っていたある日、私のもとへ新福さんからの手紙が届いた。

その手紙には新福さんのやだという気持ちが切々《せっせつ》と書かれており、夜も眠れないから頼むからやめてくれという事が丁寧《ていねい》な言い回しで延々と記されていた。

私は、新福さんをこれ以上説得するのも面倒臭《めんどうくさ》くなってきた。新福さんの睡《すい》眠《みん》を妨《さまた》げるのも悪い気がしたし、これがストレスになって新福さんが体をこわしたりしたら大変だ。そんなことになったら新福さんおめでとうのつもりが新福さんすいませんと言っても済むもんじゃない。

そう思い、タイトルを『さくら日和《びより》』に変えることにした。仕方ないので自分の名前を使ったわけだが、本当はこのタイトルはいつか書こうと思っている小説のタイトルにするつもりだったのだ。しかし、今度は今度でまた考えればいい。きっと、なんかいいタイトルがまた思いつくだろうよ、と思うしかない。

これにて新福さんは安眠できることになった。新福さんの安眠とは逆に、なぜか友人達が次々とうちの近所に引っ越してくることになり、私は睡眠時間が減りつつある。これからますます面白《おもしろ》くなりそうな予感でいっぱいだ。生きていると大変な事も起きたりするけれど、大事な家族や友人やスタッフに囲まれてこうして元気に仕事できることを幸せに思う。

付録

新福さんをたたえるパーティーの脚本

用意するもの

賀来さん↓タキシード（できれば白。なければ背広）。
上野さん↓白いネグリジェと頭の輪と羽。
矢吹さん↓SMの服、ムチ。
井下さん↓制服、ハイソックス、三角帽、楽器。
多田さん↓ヘルメット、白衣、三角帽、楽器。
本間さん↓ヘルメット、白衣、三角帽、楽器。
三浦君↓ムームー、花輪、三角帽、楽器、花束。
さくら↓制服、ビニールぶくろ、きもの、かつら、三角帽、楽器、記念品、カメラ。

くす玉、花束、クラッカー、紙ふぶき、もぞう紙にかいた賞品の紹介、たんか、救急車のSE、花輪、トロフィー、記念品（ぬいぐるみ）、賞状と額。

演出シナリオ（作・さくらももこ）

司会「新福さんの入場です。拍手〜〜〜っ」
（拍手。クラッカーも鳴らす）
びっくりしている新福さんを、席につかせる。

司会「新福さんの席はこちらです」
新福さん着席。

司会「ただ今から、新福さんをたたえる会を始めたいと思います。司会は私、賀来稔《とし》晴《はる》、ご存知の皆様もいらっしゃるかと思いますが、賀来千香子の実の兄でございます。その兄が、急に司会役を命じられ、今、こうして台本を片手に司会をさせていただくことになりました。できる限りまちがえないように努力するつもりですが、なにぶん兄のほうは素人《しろうと》ですから、セリフも棒読みでございますが、どうぞよろしくお願いいたします」

おじぎ。（多分拍手）

司会「それでは、ただいまから、新福さんを表彰いたします。天使様、どうぞ」

舞台にスポットがあたり、天使の上野さん、賞状をもって登場。（スモーク）

上野「表彰状」（↓以下、読み上げる）

上野、新福さんに賞状を渡す。

上野「新福さん、これからもさくらプロダクションのことをよろしくお願いいたします。わたくしは、空の上からいつも見守っております」

上野さん、舞台からスーッと去る。

司会「新福さんのことを、空の上から見守っているそうです。では次、新福さんにおくることば」

さくらプロのメンバー、全員でてくる。三浦君がはじめに言い、言ったことをそのまま他の人達（客も含む）がオウム返しでくりかえす。

三浦「新福さん（新福さん）

いつもありがとう（いつもありがとう）

あんなことも　（あんなことも）
こんなことも　（こんなことも）
ムリなことも　（ムリなことも）
くじけそうなときも　（くじけそうなときも）
お金のかかることも　（お金のかかることも）
離婚のときも　（離婚のときも）
困らせてばかりで　（困らせてばかりで）
ごめんなさい　（ごめんなさい）
これからも　（これからも）
ずっとずっと　（ずっとずっと）
面倒みて下さい　（面倒みて下さい）」

一同、おじぎする。そして去る。

司会　「はい、新福さんにおくることばでした。次は、新福さんへ、トロフィーの授与です。トロフィーをわたすのは、新福さんが援助交際している女子高生の井下薫さんです。井下さん、どうぞ」

井下さん、（制服で）トロフィーをもってやってくる。

司会「井下さん、ひとことどうぞ」

井下「パパが、まさかこんな立派な人だとは知らずに、いつもおこづかいをもらっていたので少し反省しています。でも、わるいことをしている人ではないとわかったので安心しました」

司会「新福さんがわるい人じゃなくて本当によかったですね」

井下「はい」

司会「では、トロフィーをわたして下さい」

井下さん、新福さんにトロフィーをわたす。

（拍手）

井下さん、去る。

司会「では、次に、花束贈呈《ぞうてい》です。今日は、ハワイから、新福さんの姪《めい》っ子さんがお祝いにかけつけて下さいました。姪っ子さん、どうぞ」

　ハワイの姪っ子の三浦君、登場。

三浦　「アロ〜〜〜ハ〜〜〜」

司会　「遠いところからごくろうさまです」

三浦　「アイ　キャン　ノット　スピーク　ジャパニーズ。アイ　ドント　ノウ　ザッツ　アンクル」

司会　「え、新福さんのことを知らないんですか？」

三浦　「は？　わたし、日本語、わかりません」

司会　「ああそうでしたね」

三浦　「わたしは、ハワイで生まれました」

司会　「はい、そうですね」

三浦　「ハワイは、とても、暑いです」

司会　「ああ、そうでしょうね」

三浦　「ハワイは、フラダンスがさかんです」

　三浦君、フラダンスを少しやる。

司会　「早く花束をわたして下さい」
三浦　「は？　わたし、日本語、わかりません」
司会　「ディス　フラワー　プレゼント　ヒム」
三浦　「オ〰〰、ザッツ　ライト。オッケー、アイム　ソー　ハッピー」
　　三浦君、新福さんに花束をわたし、だきついて両ほほにキスする。
三浦　「グッバ〰〰イ」
　　三浦君、去る。
司会　「次は、埼王に住む新福さんの甥《おい》っ子さんから記念品の贈呈です。甥っ子さんはただいま高校一年生で、現役の不良少年だそうです。それでは甥っ子さん、どうぞ」
　　さくら、シンナーをすいながら悪態《あくたい》をついて登場。
司会　「見るからに不良ですね」
さくら　「うるせぇ」
司会　「シンナーを持っております」

さくら「なんか文句あるのかよ。なんでこんなとこ来なきゃなんねぇんだよ。バッキャロウ」

　と言って記念品のドラえもんのぬいぐるみを床にたたきつけ、「なんだこいつ」と言って新福さんにからみはじめる。

　あわてて司会者とめる。

司会「あ、新福さんにからまないで下さい。はいはいはい、もうあっちに行って下さい。不良の仲間の人たち、ちょっとつれていって下さい」

　ヘルメットをかぶってジーパンをはいた仲間の多田さんと本間さん、あばれるさくらの腕をつかんでつれていく。

司会「不良の甥っ子さん、少しげんかくがみえていたようですね。新福さん、危機一髪で御無事でした。では、次は新福さんのいきつけのSMクラブの女王様に乾杯の音頭《おんど》をとってもらいましょう。女王様どうぞ」

　ムチを持ち、できる限りSMの姿をした矢吹さん登場。

司会「新福さんにひとことどうぞ」

矢吹　「ちょっと、私をこんな所によびだして、ほめてもらおうなんて百年早いんじゃないの？」

　矢吹さん、ギロッとにらんでビシッとムチで床を打ち、

矢吹　「ま、いいけど」

　と言ってツンとすます。

司会　「では、乾杯をお願いします」

矢吹　「じゃ、みなさん、そこにいる、私の奴隷《どれい》のために、乾杯」

司会　「かんぱーい」

　（乾杯）

司会　「女王様、どうもありがとうございました」

矢吹　「お礼を言うんなら、私の店にきてからたっぷり言ってちょうだい。わかった？」

　と言って矢吹さん、賀来さんのあごをクイッと上げてバシッとムチを床に打ってさっさと去ってゆく。

司会　「はい、乾杯がおわりました。次は、新福さんの近所に住むおばあさんがお祝い

にかけつけてくれました。今年九十六歳になるそうです。おばあさん、どうぞ」

さくら、三浦君に背負われてやってくる。

三浦君、さくらをおろす。ヨロヨロするさくら。三浦、うでをつかみ、

三浦「おばあちゃん、新福さんですよ」

さくら「あ?」

三浦「新福さんですよ」

さくら「あ?」

三浦「しんふくさんですよ」

さくら「あ?」

司会「おばあさん、耳が大変わるいようですね」

さくら、両手をあやふやにうごかし、目が見えないようす。

司会「おばあさんは目もわるいんですか」

三浦「はい。目はよく見えないし、耳もよくきこえないし、あまりしゃべれないし、今の状況もわかっていません」

司会　「それじゃあ大変ですね」
三浦　「そうです。もう、なおるみこみもないですしね」
　　さくら、たおれる。
司会　「あ、たおれましたよ」
三浦　「大変だっ」
司会　「救急車をっ」
　　SE、ピーポーピーポー
　　救急隊（多田さん、本間さん）やってきて、たんかにのせて去る。
司会　「では、次に『新福さんしか当たらないクジ』という抽選会をいたします。このクジは、新福さんしか当たらないようになっております。当たった人には豪華な賞品をさしあげます。では、賞品のご紹介をいたしましょう」
　　上野さんと矢吹さん、もぞう紙を広げる。もぞう紙には、「賞品・豪華客船クイーンエリザベス3号による、世界一周旅行をペアで（一千万円分の旅行券）・10カラットのダイヤモンド（二千万円）・図書券千円分」と書かれている。それを司会者よみあげ、

司会　「合計三千万千円分の賞品がもらえます。では、クジをひきましょう」

　司会者、クジの箱の中に手をいれ、一枚クジをひき、

司会　「新福さんが当たりました!!　おめでとうございます」

　矢吹さんと上野さん、くす玉を割る。

司会　「新福さんの大当たりを祝って、パレードがやってまいります」

　パレード登場（三浦君、本間さん、多田さん、さくら、井下さん）。ふえ、小だいこ、ギター、紙ふぶきをまく人、ポンポンをもってふる人　↓全員、三角帽（赤）。

　パレード、新福さんの周辺をうろつき、にぎわして去ってゆく。

司会　「では、新福さんの大当たりと、活躍ぶりをお祝いして胴上げです」

　パレードにでた人も全員またでてくる。（客席で、手伝ってくれる人もでてくる）

司会　「では、新福さんを胴上げです」

　胴上げ。

　おわる。一同去る。

司会　「それでは、今から記念撮影に参りたいと思います。みなさん、新福さんを囲ん

でこちらに並んで下さい」

全員、並ぶ。

さくら、カメラをもってやってくる。

さくら「はい、とりますよ。笑って笑って」

撮影、おわる。

司会「はい、撮影はおわりました。みなさん席にもどって下さい」

一同、もどる。

司会「これで、新福さんをたたえる会をおわります。新福さん、みなさん、ありがとうございました。今後とも、よろしくお願いします」

パーティー関連の品々

第1回
SAKURA PRODUCTION
Party ticket
御招待
1998.10.9
6:00 START
プロデュース・さくらももこ　支度ほか・さくらプロダクション全員

招待状

記念ライター

1998
10.9
SHIN FUKU SAN
KINEN

記念バッジ

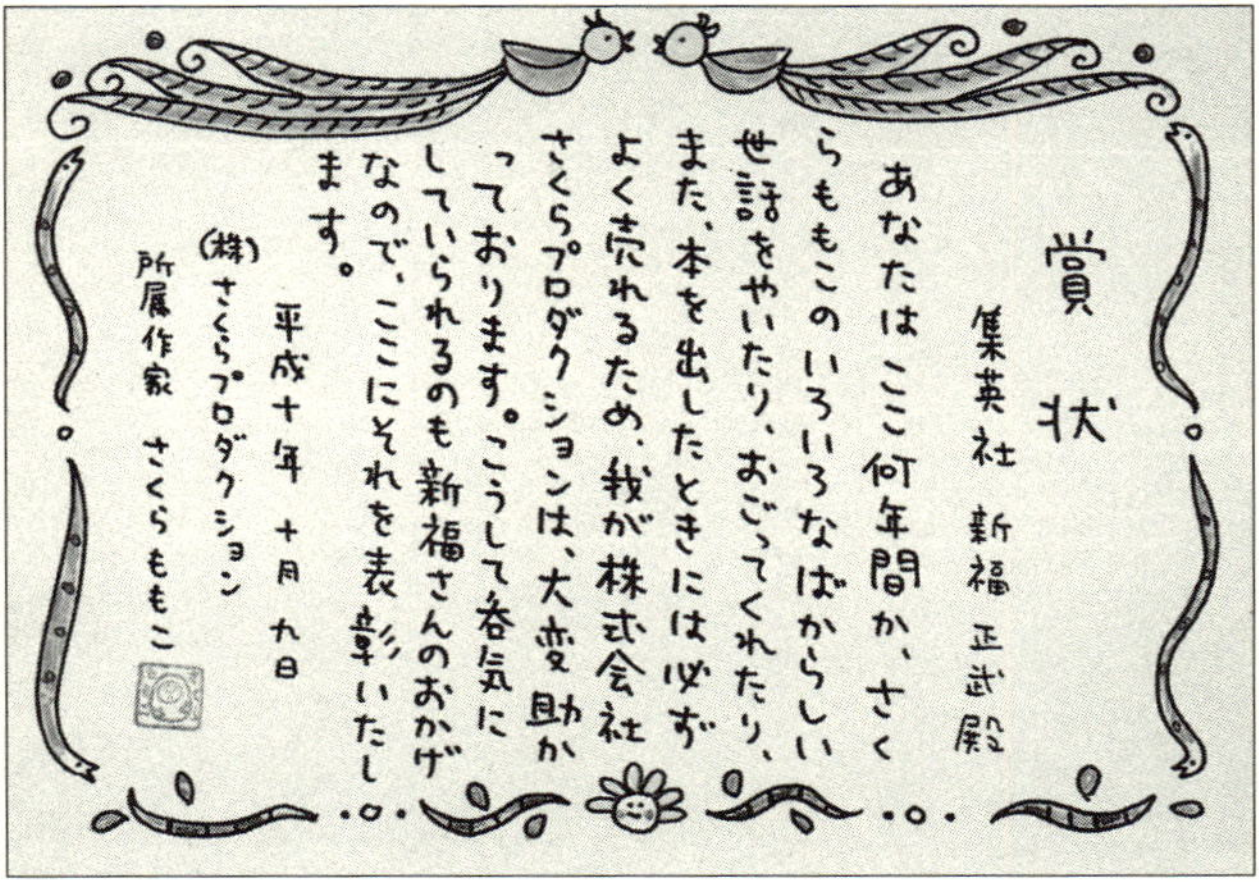
賞状
集英社 新福 正武殿
あなたはここ何年間か、さくらももこのいろいろなばからしい世話をやいたり、おごってくれたり、また、本を出したときには必ずよく売れるため、我が株式会社さくらプロダクションは、大変助かっております。こうして呑気にしていられるのも新福さんのおかげなので、ここにそれを表彰いたします。
平成十年 十月 九日
(株)さくらプロダクション
所属作家 さくらももこ

賞状

おまけのページ

新福さんからさくらさんへ
9つの質問

「おめでとう新福さん」パーティーは編集者を引退したいま思い出しても、編集者生活で一番愉快で印象的（衝撃的）な出来事でした。編集者時代にはできなかったいろいろな質問をしたいと思いますが、まずはじめはあのパーティーのこと。私には内緒であのパーティーが綿密に計画されているとはまったく知りませんでした。間抜けそうだから気がつかないだろうと思っておられましたか？　予想以上にうまくいって大成功だと思っておられますか。こうすればもっとおもしろかったのにと実行されなかったプランも他にありますか。私はまったく間抜けだったと思っていますが。

計画は、うちの会社の社外秘として慎重に進めておりましたので、新福さんが全く気づかないのも当然です。もしも気づいたらエスパーですよ!!

パーティーは、かなり成功したと思います。新福さんが、うっすら涙ぐんでおられた姿がとても心に残っています。やらせて頂いて本当に良かったです。

『さくら日和』刊行後しばらくして私の名前が新福だと知った女子高生たちから「あなたがあの『おめでとう新福さん』の新福さんですか」と握手を求められキャーキャー喜ばれたことがあります。刊行前、さくらさんは『さくら日和』を『新福さん、おめでとう』というタイトルにしたいと考えておられました。もしそうなっていたら私は毎日女子高生に握手を求められていたかもしれません。『新福さん、おめでとう』という本が出れば私の人生は変わっていたでしょう。さくらさんはご自分の本が一人の人間の人生を変えるだけの力を持っているという自覚はありますか？

自分の本が、人様の人生を変える力など、めっそうもございませんが、多少の彩り《いろど》を加える事は若干あるかもと思います。そうならいいなと思う

のですが…。

保育園に通っている息子さんが「ママはさくらももこなんでしょ」と疑いを深めているやりとりがスリリングに書かれていますが、あれから数年たって「ママは、さくらももこだ」ということがバレた時の息子さんの反応は。またその後の親子関係に大きな変化はありましたか。いま息子さんとの関係はどのような感じでしょうか？

息子は「少し、そうじゃないかと思ってたけど、やっぱりそうだったのか。うれしいよ」と言って、喜んでくれました。息子は今年中学生になるのですが、私の作品をとても好んで読んでおり、執筆中も仕事場にちょくちょく来ては、原稿を見て「面白いね」とか「可愛いね」と言って楽しんでいます。仕事について、よく理解してくれているので助かります。

さくらさんの中には純真な子どもの心がひそんでいるように思います。息子さんと子どもとして張り合うようなことはありませんか。また息子さんをみていて、これはかなわないなと思われることはありますか。

息子とは、すごく気が合うので張り合うとか、ちょっとしたケンカもほとんど無く、お互いに尊重しているという、非常に良好な関係です。彼はお笑いとゲームが好きで、私もお笑いもゲームも好きなのですが、お笑いに関してのチェック度と、ゲームのテクニックは息子の方が断然上です。あと、記憶力も子供にはかないません。私はどんどん物忘れが激しくなるばかりなので、息子に頼ってます。

「おめでとう新福さん」パーティーで九十六歳の老婆に姿をかえたさくらさんが登場してびっくりしましたが、自分の老いた姿を想像されたことはありますか。またどんな風に年をとりたいと思っておられますか。

私は子供の頃からみんなに年寄り臭いと言われていたので、何となく今とそれほど変わらないまま婆さんになってゆく気がします。ずっと無事で、おかしみのある、豊かで可愛らしい婆さんになれればいいなーと思います。

さくらさんには独自の生命観・死生観があるように思いますが、生命はどこから来るのでしょうか。また死後の世界というようなことを考えられることはありますか。

生命はどこから来るのかなんて、新福さん、あんたちょっと私にそんな事がわかりっこないじゃないっスか（笑）。生命がどこから、何であるのかは全く知りませんが、こうしてある事は、しかと感じておりますので、今できる楽しみを満喫しようと思ってます。死後の世界も、私はあるという方向で考えるのが好きですが、もしかしたら無いかもしれないですし、自分が確実に知っている事じゃないのであんまり人にはあれこれ言わないようにしようと思っているのですが、あるにしろ無いにしろ、今生きてい

る人生を人と共に楽しみを分かち合い、ああ良かったと思えるように過ごせれば、何よりだと思います。

さくらさんの文章はとてもテンポが良く素晴らしいと思います。健康食品や果物野菜ジュースで体のリズムはとても良い状態に保たれているからでしょうが、それだけではないように思います。運動は何かやられていますか。また仕事中は音楽を聴かれますか。

運動は全然していません。ラジオ体操ぐらいは、しようかなー…と最近少し思います。家の中をあちこち動き回っているだけで、けっこう運動になっているのかもしれません。仕事中に音楽は、あんまり聴きません。もっぱらＴＶばっかりです。でも集中して仕事をする時には、ＴＶもつけません。

いま一番興味をもたれている事とか物、あるいは熱中している事とか物は何でしょう。

今、英会話がうまくなりたいなーと思っているのですが、年のせいでしょうか。聴き取りも暗記もなかなかできず、呂律《ろれつ》もまわらず、情けないなぁと思っています。

いま世界は難しい問題を沢山《たくさん》かかえています。現実世界とはちがういきいきとした別の世界を漫画やエッセイで想像力豊かに作り出されているさくらさんが、この世界を自由に作り変えることができたら、どのような世界にしたいのでしょうか。

とにかく平和で安全な世界がいいですね。まずは命に危険が無いというのが基本です。その上で、それぞれが好きな事を大いに楽しめる世界があれば、そこに住みたいです。

質問にお答えいただき、ありがとうございました。人々が楽しく暮らしていける平和な世界が一番、私もそう思います。愉快なこと、面白いことがいっぱいの楽しいさくらももこワールドでは愛にあふれた、そんな平和な世界が実現しているのかもしれませんね。また楽しいことがあったら誘ってください。

この作品は一九九九年七月、集英社から刊行されました。

集英社文庫

さくらももこ作品リスト

ものかんづめ

水虫に悩める乙女を救った奇跡の治療法ほか、笑いのツボ満載の初エッセイ集。（巻末対談・土屋賢二）

さるのこしかけ

インド珍道中の思い出など、〝読んで悔いなし〟の爆笑エッセイシリーズ第二弾。（巻末対談・周防正行）

たいのおかしら

歯医者での極楽幻想体験から父ヒロシの半生まで、爆笑エッセイ三部作完結編。（巻末対談・三谷幸喜）

あのころ

「まる子」だったあのころをふりかえる、懐かしさいっぱいの爆笑シリーズ第一弾。（巻末Q&A収録）

まる子だった

テーマは十八番の「子供時代」。お気楽で濃密な爆笑世界へようこそ！（巻末対談・糸井重里）

ももこの話

笑いと涙、これぞ黄金の小学三年生時代！　永遠のベストセラー、シリーズ完結編。（巻末Q&A収録）

集英社文庫

さくら日和《びより》

2007年3月25日　第1刷　　定価はカバーに表示してあります。
2024年7月14日　第13刷

著　者　さくらももこ
発行者　樋口尚也
発行所　株式会社　集英社
東京都千代田区一ツ橋2-5-10　〒101-8050
電話　【編集部】03-3230-6095
【読者係】03-3230-6080
【販売部】03-3230-6393（書店専用）
印　刷　中央精版印刷株式会社　株式会社美松堂
製　本　中央精版印刷株式会社

フォーマットデザイン　アリヤマデザインストア　　マークデザイン　居山浩二

ISBN978-4-08-746135-0 C0195